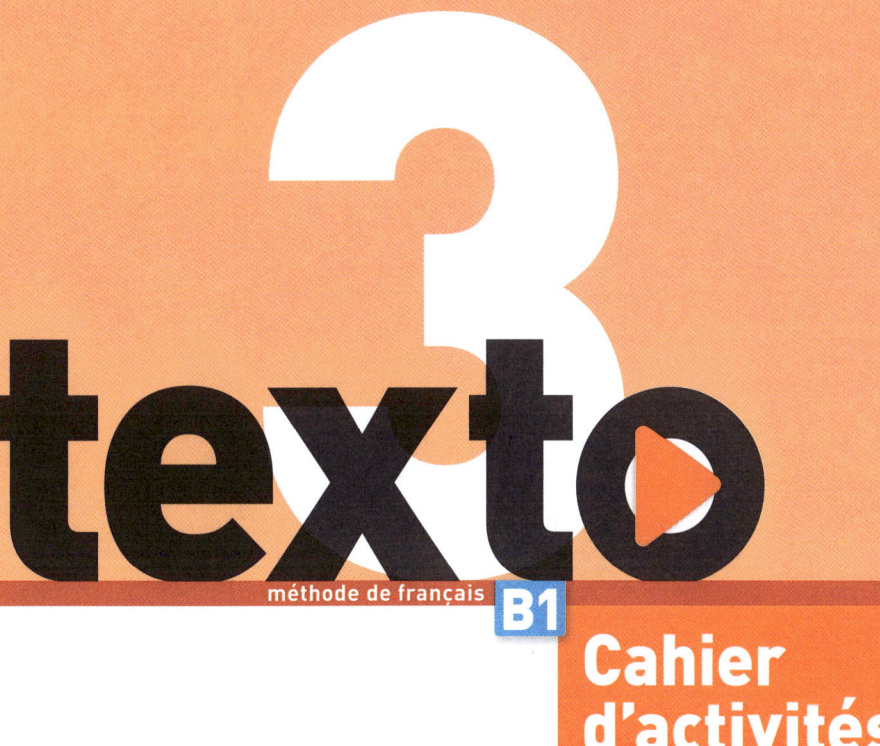

méthode de français **B1**

Cahier d'activités

Marine Antier
Corina Brillant
Sophie Erlich

FRANÇAIS LANGUE ÉTRANGÈRE

Crédits photographiques

Photo de couverture : © Nicolas Piroux

Photos de l'intérieur du manuel :
- RMN : p. 28 (1) : © Doisneau Robert (1912-1994), *Argenteuil et la Seine, 1947* / Rapho.
  p. 28 (2) : © Doisneau Robert (1912-1994), *Les bouchers mélomanes, 1953* / Rapho.
  p. 29 (a) : © Boubat Édouard (1923-1999), *Enfants dans la neige, Jardin du Luxembourg, 1956* / Rapho.
  p. 29 (b) : © Doisneau Robert (1912-1994), *Le peintre Daniel Pipard, pont des Arts, Paris, 1953* / Rapho.
- FOTOLIA : p. 64 (liste de course) ©maly-Fotolia.com ; (légumes) © Guiseppe Porzani.com ; p. 65 (fromages) : © M.studio-Fotolia.com ; p. 78 (réfrigérateur) © savanno-Fotolia.com.
- Autres : © Shutterstock.

Droits de reproduction audios
- p. 10 : © France Info / Bernard Thomasson ; p. 24 : © France Info / Arnaud Racapé ; p. 58-59 : © France Info / Bruno Denaes / Claude Halmos ; p. 80 : © France Info / Jérôme Colombain ; p. 92 : © France Info / Jérôme Colombain
- p. 24 et 33: © France Inter
- p. 49 : © Renault
- p. 67 et 114 : © RFI

Droits de reproduction textes

p. 17 : © Mairie de Paris / Carrefours pour l'emploi
p. 20 : © *Le Point*
p. 32, 11 et 118 : © *20 Minutes*
p. 50 : © Origami Films
p. 54 : © Apprentis d'Auteuil
p. 110 : © *Le Parisien*
p. 122 : © Le Sphinx Institute
p. 123 : © *L'Express*
p. 128-129 : © Europe 1

Nous avons fait notre possible pour obtenir les autorisations de reproduction des documents publiés dans cet ouvrage. Dans le cas où des omissions ou des erreurs se seraient glissées dans nos références, nous y remédierons dans les éditions à venir.

Couverture : Nicolas Piroux

Conception graphique : Nicolas Piroux / Sylvie Daudré

Mise en page : Sylvie Daudré

Secrétariat d'édition : Astrid Rogge

Illustrations : Félix Blondel p. 18 ; Corinne Tarcelin p. 113

Enregistrements audio, montage et mixage : Qualisons (D. Hassici) et J. Bonenfant pour la maîtrise d'œuvre

Tous nos remerciements à Alice REBOUL pour cette adaptation.
Tous nos remerciements à Nelly Mous pour l'épreuve DELF B1.

ISBN 978-2-01-401595-9

Le code de la propriété intellectuelle n'autorisant, aux termes des articles L. 122-4 et L. 122-5, d'une part, que « les copies ou reproductions strictement réservées à l'usage privé du copiste et non destinées à une utilisation collective » et, d'autre part, que « les analyses et les courtes citations » dans un but d'exemple et d'illustration, « toute représentation ou reproduction intégrale ou partielle, faite sans le consentement de l'auteur ou de ses ayants droit ou ayant cause, est illicite ». Cette représentation ou reproduction, par quelque procédé que ce soit, sans autorisation de l'éditeur ou du Centre français de l'exploitation du droit de copie (20, rue des Grands-Augustins, 75006 Paris), constituerait donc une contrefaçon sanctionnée par les articles 425 et suivants du Code pénal.

© HACHETTE LIVRE, 2016, 58, rue Jean Bleuzen, F 92178 Vanves Cedex, France. http://www.hachettefle.fr

Sommaire

Dossier 1 Au boulot ! 04
    Leçon 1 04
    Leçon 2 06
    Leçon 3 10
    Leçon 4 14

Dossier 2 Images 18
    Leçon 6 18
    Leçon 7 20
    Leçon 8 24
    Leçon 9 28
    Bilan 32

Dossier 3 Voyages 34
    Leçon 11 34
    Leçon 12 36
    Leçon 13 40
    Leçon 14 44

Dossier 4 Nouvelles familles 48
    Leçon 16 48
    Leçon 17 50
    Leçon 18 54
    Leçon 19 58
    Bilan 62

Dossier 5 Un corps parfait 64
    Leçon 21 64
    Leçon 22 66
    Leçon 23 70
    Leçon 24 74

Dossier 6 Êtes-vous *geek* ? 78
    Leçon 26 78
    Leçon 27 80
    Leçon 28 84
    Leçon 29 88
    Bilan 92

Dossier 7 Croyances 94
    Leçon 31 94
    Leçon 32 96
    Leçon 33 100
    Leçon 34 104

Dossier 8 Les Français 108
    Leçon 36 108
    Leçon 37 110
    Leçon 38 114
    Leçon 39 118
    Bilan 122

PORTFOLIO 124

DELF 126

TRANSCRIPTIONS 132

Dossier 1 — Au boulot !

Leçon 1 — Le bac

Vocabulaire

Le stress et l'apprentissage

1 Classez les mots dans une catégorie : ~~stresser~~, ~~le bac~~, *se concentrer, bosser, alterner, réfléchir, savoir, combattre, chercher.*

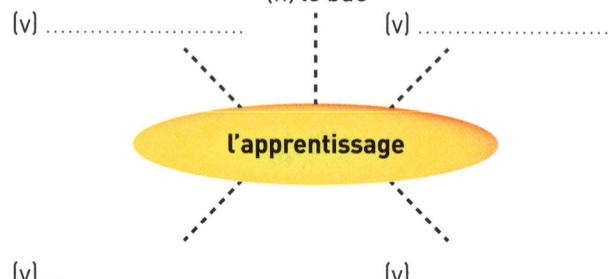

Intrus

2 Barrez l'intrus.

a paniquer - stresser – se détendre – s'inquiéter
b faire une pause – réviser – faire des fiches – travailler
c avoir une bonne méthode – avoir une mauvaise note – avoir sommeil – avoir un examen
d se détendre – s'organiser – se reposer – récupérer

Synonyme

3 Retrouvez les synonymes à l'aide de la liste suivante : *alterner, retenir, se concentrer, réfléchir, savoir.* Puis faites une phrase avec chaque synonyme.

a connaître → ....
b passer d'une chose à une autre → ....
c fixer son attention → ....
d mémoriser → ....
e penser → ....

Témoignages

4 Complétez les témoignages avec : *examen, me repose, avoir, méthode, tenir, me détendre, réussir, révisions, stress, échoue, stressé, m'organise, passe, tout au long de l'année, fiches.*

Max — Moi, pour le bac, je .... ! Je .... régulièrement pour avoir le temps de .... : je fais de la musique... C'est pour ça que je ne suis pas .... !

Louna — Je suis incapable de .... un planning, c'est terrible ! Je suis toujours en retard dans mes ...., je n'ai jamais le temps de faire des .... C'est le .... !

texto | Dossier 1 ■ Leçon 1

Marius Moi, je suis assez content, ma .... fonctionne assez bien ! Je travaille ...., mais pas trop ! Puis, quand l'..................... approche, je révise beaucoup en semaine et je .... le week-end...

Louise C'est simple... Pour .... le bac, on doit .... au moins 10/20 de moyenne générale. Sinon, on .... l'oral. Et si on .... à l'oral, on recommence l'année suivante... Alors, pourquoi paniquer ?!

Mots familiers

5 Christophe a envoyé un e-mail à un copain. Il utilise des mots familiers. Soulignez les expressions équivalentes en langue standard.

De : Xstophe94@hotmail.fr
À : alexandre.giroud002@gmail.com
Objet : bac

Coucou Alex,
J'ai révisé pendant un mois et j'ai finalement eu mon bac avec mention « Assez bien ». Cet été, je ne pourrai pas venir te voir car je vais **bosser** *(travailler / faire un stage)*. J'ai trouvé un **job** *(un petit travail / un travail intéressant)* dans **une boîte** *(une discothèque / une société)* américaine. Le **boss** *(le patron / le personnel)* a l'air très sympa. Je pense que j'aurai beaucoup de **boulot** *(temps libre / travail)* car plusieurs employés seront en vacances. Je te raconterai.
À très bientôt,
Christophe

Conseils

6 Que faut-il faire pour réussir le jour d'un examen, avant et pendant l'épreuve ? Retrouvez les mots de la boîte à mots p. 17 dans la grille et rédigez des conseils avec ces mots.

Il faut : ....
....
Il ne faut pas : ....
....

C	B	M	E	T	H	O	D	E	Ç
S	R	D	Ç	W	W	P	B	R	S
D	E	T	E	N	D	U	S	E	T
A	Z	M	B	J	A	G	U	S	R
M	A	N	G	E	R	A	C	P	E
R	S	F	Z	L	Ç	Ç	I	I	S
E	S	R	E	L	A	X	E	R	S
C	O	N	C	E	N	T	R	E	E
I	F	F	J	G	B	P	J	R	R
R	E	T	A	R	D	D	F	Z	M

Phonétique

Rythme, syllabation, voyelles

7 Lisez les phrases suivantes en découpant chaque syllabe.

a Est-ce que tu comprends ?
b Il faut de l'organisation.
c Tu dois apprendre à te concentrer.
d Attends. Je réfléchis.
e Tu dois trouver l'origine de ce qui te stresse.

8 Écoutez pour vérifier, puis écoutez de nouveau et répétez.

Dossier 1 Au boulot !

Leçon 2 | Diplômes

Comprendre

Une émission de radio

1 Écoutez l'émission de radio. Répondez aux questions et cochez les réponses correctes.

a Combien y a-t-il d'étudiants en 2012 ? ....

b Il y a autant d'étudiants en 2012 qu'en 2011.   ☐ Vrai   ☐ Faux

Justifiez votre réponse : ....

Comment le journaliste explique-t-il cette situation ?

....

....

c À quelle formation les entreprises font-elles confiance ?

....

d Il y a de plus en plus d'étudiants inscrits à l'université.   ☐ Vrai   ☐ Faux

Justifiez votre réponse : ....

e Dans quelles filières les étudiants s'inscrivent-ils le plus ?

....

f Dans quelles filières s'inscrivent-ils le moins ?

....

g Il y a autant d'enfants de cadres que d'enfants d'ouvriers qui font des études.   ☐ Vrai   ☐ Faux

Justifiez votre réponse : ....

Un article

2 Vrai ou faux ? Lisez l'article et cochez les réponses correctes. Justifiez vos réponses.

> **L'inquiétude pour aujourd'hui, la confiance pour demain**
> Le moral des jeunes actifs ou étudiants de moins de 30 ans balance entre inquiétude sur leur situation actuelle et confiance dans leur avenir professionnel. Voici ce que révèle une enquête sur « la génération Y face à l'entreprise ». « C'est une génération pleine d'inquiétudes car impactée par la crise, mais qui ne baisse pas les bras », précisent les auteurs de cette enquête. Sur la crise actuelle, 70 % des jeunes interrogés sont plutôt pessimistes et n'envisagent pas d'amélioration et 53 % en ressentent les effets. Ils sont même prêts à faire des compromis : 50 % de ceux qui cherchent un emploi sont prêts à voir leurs prétentions salariales diminuer. Mais ils ne désespèrent pas : 75 % des jeunes interrogés restent optimistes sur leur future carrière. Les étudiants sont convaincus qu'ils arriveront finalement à trouver un emploi, mais ils ne se font pas d'illusions sur le niveau ou l'évolution des rémunérations car seul 1 étudiant sur 2 pense trouver un emploi bien rémunéré.

	Vrai	Faux
a L'enquête dont parle cet article concerne des jeunes de moins de 30 ans qui travaillent. Justification :	☐	☐
b Les jeunes ont peur de l'avenir. Justification :	☐	☐
c Plus de 2 jeunes interrogés sur 3 ne sont pas optimistes sur la crise. Justification :	☐	☐
d Plus de la moitié des jeunes interrogés ressentent les effets de la crise. Justification :	☐	☐
e La majorité des étudiants ont peur de ne pas trouver de travail. Justification :	☐	☐
f La moitié des étudiants interrogés ne pensent pas trouver un travail avec un bon salaire. Justification :	☐	☐

Vocabulaire

Le travail et les études

3 Proposez une définition pour les mots suivants.

a le chômage → ....

b un revenu → ....

c être qualifié → ....

d la carrière → ....

e rémunérer → ....

f titulaire (de) → ....

4 Faites la liste de tous les mots que vous connaissez en relation avec le travail et les études.

La sociologie / L'économie

5 Complétez la grille à l'aide des définitions.

Horizontalement

2 Moment difficile dans une évolution.
5 Sujet dont on parle.
6 Différence.

Verticalement

1 Effet produit, action exercée.
3 Action d'investir.
4 Étude d'une question et rassemblement d'avis, de témoignages.

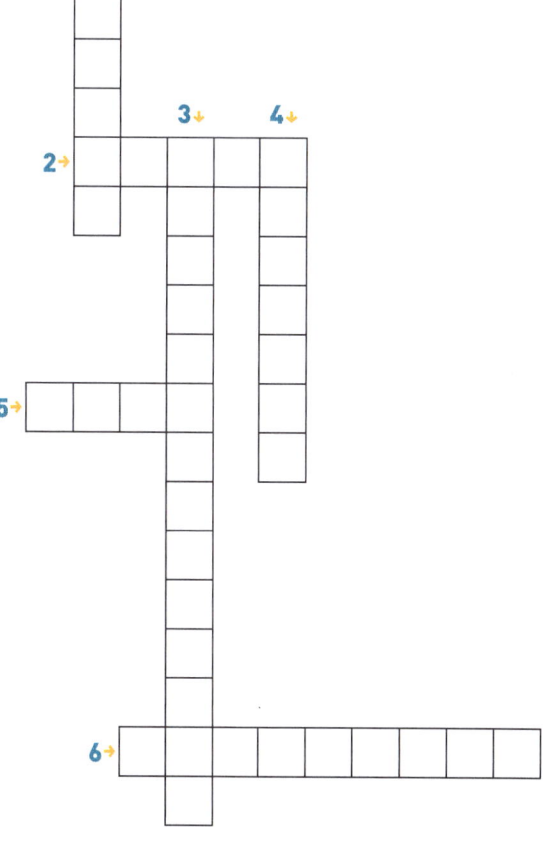

Les résultats d'une enquête

6 Barrez les intrus.

discuter révéler compter calculer montrer parler faire organiser

Dossier 1 — Au boulot !
Leçon 2 | Diplômes

Grammaire

Les comparatifs

7 Entourez les comparatifs corrects.

En France...

a Les filles réussissent *mieux / meilleur* que les garçons à l'école : elles connaissent *moins / moins de* difficultés scolaires et poursuivent des études *plus / plus de* longues.

b Elles sont *meilleures / mieux* en français et *aussi / autant* bonnes en mathématiques, mais elles choisissent *moins / moins de* souvent les filières scientifiques.

c Les filles sont *plus / plus de* souvent titulaires de baccalauréats généraux et les garçons sont *plus / plus de* souvent titulaires de baccalauréats professionnels.

d Les filles ont un *meilleur / mieux* taux de réussite aux examens que les garçons.

e *Plus / Plus de* filles que de garçons obtiennent un diplôme de l'enseignement supérieur.

f Pourtant, à diplôme équivalent, les filles s'insèrent *moins / moins de* bien dans le monde du travail que les garçons alors qu'elles ont *aussi / autant de* compétences.

8 Mettez les mots dans l'ordre pour former des phrases.

a en – baccalauréat. – plus – du – de – Il y a – plus – titulaires – de

....

b filles – plus – il y a – filières – dans – de – les – peu – scientifiques. – Aujourd'hui – un

....

c plus – importantes – de – inégalités – période – sont – beaucoup – Les – en – crise.

....

d de – optimistes – crise. – sont – moins – jeunes – moins – à – en – cause – de – la – Les

....

Les pronoms relatifs simples

9 Associez chaque pronom relatif à sa fonction.

Qui ▪   ▪ remplace un complément de lieu ou de temps.

Que / Qu' ▪   ▪ remplace un complément (verbe ou nom) introduit par *de*.

Où ▪   ▪ remplace un sujet.

Dont ▪   ▪ remplace un complément d'objet direct.

10 Complétez avec un pronom relatif.

a La France n'est pas le pays .... il y a le plus de diplômés.

b Les jeunes .... sont le moins qualifiés sont plus exposés au chômage.

c Les jeunes .... les parents sont ouvriers ont moins accès à l'université.

d Les salaires .... cette entreprise propose sont bas.

e L'enquête .... parle le journaliste a été faite par l'OCDE.

f C'est un reportage .... on parle des jeunes diplômés.

g C'est une carrière .... beaucoup de jeunes voudraient avoir.

Communiquer

Pour présenter des statistiques

11 À l'aide de ces informations, écrivez un article pour le site *Études européennes*.

Population ayant un niveau d'études supérieur dans l'Union européenne en 2012 (en % de la population, Hommes / Femmes, 25 à 34 ans)

Écarts des salaires (salaires annuels ensemble) (en %)

Chômage dans l'Union européenne en 2013

	Taux de chômage (en %)	
	Hommes	Femmes
Allemagne	5,7	5,0
France	10,1	9,8
Italie	11,7	13,2
Royaume-Uni	8,1	7,2
Suède	8,4	8,0

Note : données en moyenne annuelle. Personnes de 15 à 64 ans.

Pour comparer

12 À l'oral, présentez le système scolaire français et comparez-le avec celui de votre pays.

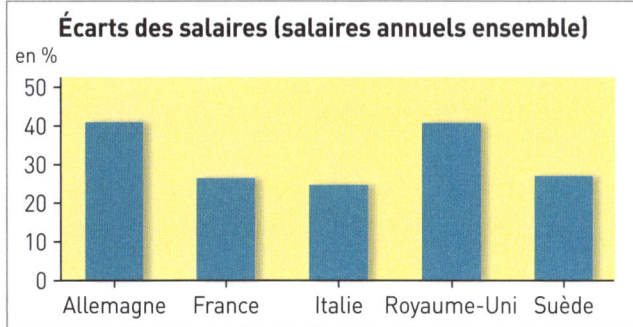

Dossier 1 Au boulot !

Leçon 3 | Question d'éducation

Comprendre

Une émission de radio

1 Écoutez l'émission de radio. Cochez les réponses correctes et répondez aux questions. 🎧 04

a Le thème de l'émission est :

☐ **1** la difficulté des jeunes à communiquer.

☐ **2** la relation des jeunes à l'écriture.

☐ **3** l'utilisation du numérique par les jeunes.

b Face au numérique, le sentiment le plus partagé est :

☐ **1** la peur.

☐ **2** la colère.

☐ **3** l'inquiétude.

c Élisabeth Fournier est-elle d'accord avec les conclusions de l'étude du CNRS ? Pourquoi ?

....

d Que permet l'écriture de textos ? Justifiez votre réponse.

....

Des avis publiés dans un journal

2 Lisez les avis. Cochez les réponses correctes et répondez aux questions.

Bernard, 65 ans

De mon temps, les jeunes avaient aussi des codes de simplification de l'écriture. Aujourd'hui, ces codes sont très différents grâce aux supports numériques. Certains disent que le langage SMS appauvrit la langue ; d'autres affirment que c'est seulement un rituel de passage et que les jeunes vont l'abandonner avec l'âge pour revenir aux règles traditionnelles. Pour moi, le langage SMS développe la créativité langagière. De plus, il y a des expressions qui reviennent à la mode. Par exemple, grâce au langage SMS, on ne dit plus « à bientôt » ou « à plus » mais « à un de ces quatre » qu'on écrit « a12C4 ». Les SMS sont finalement un moyen d'expression ludique.

Catherine, 42 ans

L'étude réalisée dernièrement sur le langage SMS et son impact sur l'orthographe est-elle bien sérieuse ? Comment des chercheurs peuvent-ils conclure aussi facilement que la pratique des textos n'affecte pas le niveau en orthographe des collégiens ? On nous explique que la maîtrise des règles est nécessaire pour pouvoir les contourner et en inventer d'autres, mais à force d'écrire ces messages abrégés, les élèves finissent par oublier la bonne orthographe et font des fautes énormes. De plus, le temps passé à taper des messages souvent sans intérêt est du temps qui n'est pas consacré à la lecture de romans, par exemple. N'est-ce pas en lisant qu'on enrichit son vocabulaire ?

Clarisse, 35 ans

Pourquoi entrer en guerre contre les textos ? Parce qu'ils ne sont pas écrits en bon français ? Et alors ? L'essentiel est de savoir distinguer les codes. Des chercheurs expliquent qu'il existe un registre de l'écrit traditionnel et un registre de l'écrit SMS, et que les deux sont indépendants. Les jeunes savent faire la différence car ils ne communiquent pas de la même façon entre eux et avec leurs parents. Il n'est donc pas juste d'affirmer que le langage SMS influence négativement la langue… Enfin, pas toujours ! Le problème, c'est quand on oublie les règles traditionnelles. Le niveau en orthographe baisse, c'est certain, mais ce phénomène a commencé bien avant l'arrivée des SMS. Alors, à qui la faute ?

a Quelle est l'opinion générale des trois personnes ?

	Positive	Mitigée	Négative
Bernard	☐	☐	☐
Catherine	☐	☐	☐
Clarisse	☐	☐	☐

b Bernard pense que les jeunes :
- ☐ **1** utilisent des codes principalement depuis Internet.
- ☐ **2** utilisent des codes différents depuis Internet.
- ☐ **3** vont oublier leurs codes en devenant adultes.

c Selon Bernard, que permettent de faire les SMS ?
....

d Catherine est sûre que :
- ☐ **1** les élèves font plus de fautes à cause des textos.
- ☐ **2** seuls les bons élèves peuvent créer des textismes.
- ☐ **3** les élèves faibles en orthographe préfèrent les SMS.

e Que propose Catherine pour avoir plus de vocabulaire ?
....
....
....
....

f Pour Clarisse, le plus important est :
- ☐ **1** de connaître tous les codes.
- ☐ **2** de faire la différence entre les codes.
- ☐ **3** d'utiliser différents codes.

g Selon Clarisse, les SMS sont-ils à l'origine de la baisse du niveau en orthographe ? Pourquoi ?
....
....
....
....

Vocabulaire

La langue

3 Remettez les mots soulignés à la bonne place et corrigez les accords si nécessaire.

> **Sylvie, 45 ans** « Pour mieux communiquer avec mes enfants, j'ai dû apprendre l'orthographe *le langage* SMS. Comme dans l'apprentissage d'une forme ...., il y a des contextes .... à suivre. Au début, ce n'est pas facile parce que les langages .... peuvent prendre des règles .... très différentes de celles que nous connaissons traditionnellement. Mais grâce à un bon mot .... en français et surtout à une bonne connaissance de la langue ...., on écrit facilement des textos. Cela devient même un jeu ! Évidemment, avec mes collègues, je n'utilise pas de textismes ! L'essentiel, c'est de s'adapter au niveau .... et les jeunes en ont bien conscience. »

Les explications

4 Complétez avec les verbes *affecter, contenir, déterminer, influencer*.

a Un texto est un message court qui .... au maximum 160 caractères.

b L'envoi de SMS .... la façon de communiquer des jeunes.

c C'est la maîtrise des règles traditionnelles qui .... la nature des textos.

d Les parents pensent que le langage SMS .... la compétence orthographique.

Dossier 1 — Au boulot !
Leçon 3 — Question d'éducation

Grammaire

L'organisation des idées

5 Mettez les phrases dans l'ordre pour obtenir un texte cohérent.

Pourquoi les jeunes envoient-ils autant de SMS ?

a En fait, les jeunes préfèrent envoyer un texto parce que c'est plus rapide que de téléphoner et ils osent souvent « dire » plus de choses.

b Donc, les jeunes n'hésitent pas à en envoyer.

c De plus, le coût des textos est minime car la plupart des forfaits proposent l'envoi de SMS en illimité.

d Bref, le langage SMS est un moyen efficace et économique d'entretenir les relations avec ses amis.

e D'abord, les jeunes ont besoin de rester en contact le plus possible avec leurs amis et les textos sont une excellente solution pour prolonger l'échange après la séparation.

1	2	3	4	5
……	……	……	……	……

L'expression de la cause

6 Reformulez les phrases avec *comme, parce que* ou *car*.

Comme les jeunes envoient beaucoup de textos, ils ne savent plus écrire correctement.
→ *Les jeunes ne savent plus écrire correctement car ils envoient beaucoup de textos.*

a Le niveau en orthographe des jeunes baisse parce qu'ils ne lisent pas assez.

………………………………………………………………………………………………………

b Il ne faut pas avoir peur des textismes car ils n'affectent pas l'orthographe.

………………………………………………………………………………………………………

c Comme les SMS sont un moyen efficace pour communiquer, on en échange énormément.

………………………………………………………………………………………………………

d Les textos favorisent la création langagière car nous inventons toujours de nouveaux mots.

………………………………………………………………………………………………………

7 Identifiez la cause et associez les phrases avec *comme* ou *puisque*.

1. Les règles traditionnelles ne sont pas menacées. **2.** Il faut maîtriser l'orthographe pour rédiger des textos.
→ cause : 2 → *Comme il faut maîtriser l'orthographe pour rédiger des textos, les règles traditionnelles ne sont pas menacées.*

a 1. Un texto se compose seulement de 160 caractères. **2.** Un texto est un message très court.

………………………………………………………………………………………………………
………………………………………………………………………………………………………

b 1. Les parents critiquent la pratique des SMS. **2.** Les jeunes écrivent moins bien qu'avant.

………………………………………………………………………………………………………

c 1. L'orthographe traditionnelle ne disparaît pas. **2.** 50 % des textos sont écrits selon les règles traditionnelles.

………………………………………………………………………………………………………

d 1. Des études scientifiques prouvent la baisse de la compétence orthographique des jeunes.

    2. Les jeunes sont moins bons en orthographe qu'il y a 20 ans.

    ....

    ....

Communiquer

Pour écrire un texto

8 Traduisez ces messages en langage SMS.

a

Salut, comment ça va ? Tu es libre demain pour acheter le cadeau d'anniversaire de ma mère ? J'ai trouvé une idée géniale ! Appelle-moi !

b

Bonjour ! Merci beaucoup pour ton invitation à déjeuner mais je ne peux pas accepter parce que j'ai un examen. Je suis désolée. Bises.

9 À deux, écrivez un texto à un camarade de classe pour lui demander un service ou une information, puis écrivez la réponse.

 a Texto 1 demande

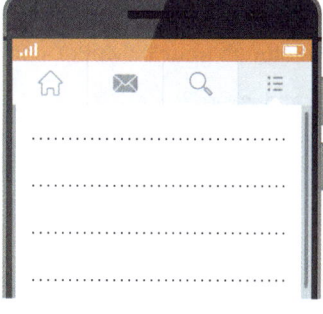 **b** Texto 2 réponse

Pour donner son avis

10 Écrivez sur le forum pour donner votre avis sur le langage SMS.

Forum » Pour ou contre le langage SMS ?

Jacqueline : Je suis contre ce langage parce qu'il affecte sérieusement la qualité de notre chère langue !
Si le niveau en orthographe baisse chez les jeunes, c'est parce qu'ils passent leur temps à taper des messages incompréhensibles et sans intérêt.

posté le 02/03/15 à 9:20   Alerter   Répondre

Dossier 1 Au boulot !

Leçon 4 | Métiers

Comprendre

Une conversation téléphonique

1 Écoutez la conversation entre Valérie et sa grand-mère, Violette.
Cochez les réponses correctes et répondez aux questions.

a Valérie annonce à sa grand-mère qu'elle a eu son bac.   ☐ Vrai   ☐ Faux

b Sa mère souhaiterait qu'elle fasse des études de lettres :
  ☐ 1 parce que Valérie est sûre de trouver du travail.
  ☐ 2 parce qu'elle regrette de ne pas avoir été prof.
  ☐ 3 parce qu'une fois prof, Valérie ne sera jamais au chômage.

c Que préfèrerait son père et pourquoi ?
....
....

d Valérie :
  ☐ 1 souhaite faire des études pour avoir un bon travail plus tard.
  ☐ 2 ne croit pas qu'un diplôme l'aidera à trouver un travail.
  ☐ 3 veut arrêter ses études pour travailler comme serveuse avec sa copine.

e Que lui suggère sa grand-mère ?
....

Un chapeau

2 Mettez dans l'ordre le chapeau de cet article.

Les métiers qui recruteront demain

a Mais comment savoir aujourd'hui

b D'ici à 2020, 150 000 emplois par an devraient être créés

c Voici de quoi vous aider à faire le bon choix !

d tandis que 600 000 personnes actuellement en activité

e L'Étudiant s'est plié à l'exercice.

f pour combler de nouveaux besoins,

1	2	3	4	5	6	7	8	9	10
b	...	...	...	...	...	...	...	...	...

Vocabulaire

Le travail

3 Associez. (Plusieurs réponses sont possibles.)

- a rédiger
- b préparer
- c trouver
- d obtenir
- e rencontrer

- 1 un travail
- 2 un CV
- 3 des études
- 4 des entreprises
- 5 un contrat

Le travail et l'argent

4 Complétez l'e-mail avec : *CDD, entreprise, marché du travail, diplôme, finances, grande école, frais d'inscription, opportunités, contrat en alternance, CDI, dans le rouge, secteur.*

De : isa2bobigny@yahoo.fr
À : v.duchamp85@gmail.com
Objet : Coucou

Coucou Valérie,
J'espère que tu vas bien. Moi je viens juste d'avoir mon .... et je voudrais maintenant me spécialiser. J'espérais pouvoir entrer dans une .... mais mes .... ne me le permettent pas ; les .... sont trop importants. Je dois absolument gagner de l'argent ; comme tu le sais, je suis toujours .... à la banque :-(Dans mon ...., il n'y a pas beaucoup d'.................................. sur le .... Il faut que je trouve une .... qui m'accepte en .... qui pourrait déboucher sur un .... et peut-être un .... si j'ai vraiment de la chance.
Donne-moi de tes nouvelles.
À bientôt.
Bisous
Isa

Dossier 1 — Au boulot !
Leçon 4 | Métiers

Grammaire

Le futur et le conditionnel présent

5 Conjuguez les verbes à l'imparfait, au futur et au conditionnel.

	Imparfait	Futur	Conditionnel
faire	je	je	je ....
être	tu	tu	tu ....
falloir	il	il	il ....
aller	elle	elle	elle ....
savoir	nous	nous	nous ....
pouvoir	vous	vous	vous ....
avoir	ils	ils	ils ....

6 Conjuguez les verbes entre parenthèses au futur ou au conditionnel présent.

Vincent	Alors, tes examens, tu les as eus ?
Anne	Je *(devoir)* .... avoir les résultats la semaine prochaine mais je suis sûre que j'*(obtenir)* .... au moins la moyenne et quand j'*(avoir)* .... mon diplôme, tu *(être)* .... le premier à le savoir. J'*(organiser)* .... une grande fête et j'*(inviter)* .... tous les copains.
Vincent	Et après ?
Anne	Je ne sais pas encore si je *(s'inscrire)* .... à Pôle emploi pour trouver un travail ou alors si j'*(aller)* .... à Londres pour perfectionner mon anglais. À ma place, qu'est-ce que tu *(faire)* .... ? Tu *(avoir)* .... un conseil à me donner ?
Vincent	Si j'étais toi, je *(partir)* .... d'abord en Angleterre. À ton retour, tu *(parler)* .... couramment anglais et ça *(être)* .... un plus pour ton CV.

Les indicateurs du futur

7 Complétez avec le mot ou l'expression qui convient : *l'année prochaine, dans les prochaines années, dans deux ans, en, d'ici à, à l'horizon, au moment de.*

Tous ces lycéens qui sont maintenant en 1re passeront leur épreuve de français .... la fin de l'année et leur bac .... , ... , ils entreront à l'université. .... choisir leur filière, ils pourront rencontrer des recruteurs pour connaître les dernières tendances du marché du travail. On sait déjà qu'.................. 2020, il y aura une demande très forte pour tout ce qui touchera au maintien à domicile des personnes âgées. On verra également .... l'apparition de nouveaux métiers autour du développement durable. Mais quelle sera la situation .... 2050 ? Difficile à dire !

Communiquer

Pour parler de l'avenir des études

8 D'après vous, à quoi ressembleront les études à l'horizon 2025 ? Témoignez sur un forum d'étudiants.

Pour bien se vendre

9 Vous souhaitez poursuivre vos études en alternance. Vous participez à un job dating pour rencontrer votre futur employeur. Avec votre voisin(e), rédigez les 5 commandements pour bien se vendre en quelques minutes.

Exemple : Tu ne négligeras pas ta tenue vestimentaire.

a Tu ....
b Tu ....
c Tu ....
d Tu ....
e Tu ....

Pour se renseigner sur des études

10 Vous êtes étudiant et vous ne savez pas quelle formation choisir. Vous allez participer à un forum avec des entrepreneurs et des spécialistes du marché du travail. Préparez 5 questions à leur poser. Utilisez le futur, le conditionnel présent et les indicateurs temporels. Puis posez ces questions oralement à votre voisin(e).

a ....
b ....
c ....
d ....
e ....

Dossier 2 Images
Leçon 6 | Privé-public

Vocabulaire

Vie privée / vie publique

1 Dites lesquels de ces dessins relèvent de la vie publique et de la vie privée de ce célèbre sportif.

1

2

3

4

5

6

a La vie privée : ....   b la vie publique : ....

2 Réunion de travail à la rédaction d'un quotidien. Complétez la discussion entre une photographe de presse, un journaliste et leur rédacteur en chef avec l'expression qui convient : *c'est mon truc, presse, reportage, célébrités, Une, carte de presse, photographes.*

LE RÉDACTEUR : – Dans trois jours, c'est l'ouverture du Festival de Cannes. Voici votre .... ! Je veux de l'information mais aussi de beaux portraits !

LA PHOTOGRAPHE : – Je te ramène la photo de l'année et tu me promets qu'elle fera la .... du journal... ?!

LE RÉDACTEUR : – D'accord mais attention, à Cannes, ce n'est facile pour la .... Comme chaque fois, c'est le rendez-vous des .... du monde entier, et cette année, les tête à tête avec les stars ne sont pas permis. Les .... seront tous regroupés au même endroit. Ça ne va pas être facile de décrocher la photo, qui fera le tour de monde !

LA PHOTOGRAPHE : – Ne t'inquiète pas, les stars, ... !

UN JOURNALISTE : – Moi, cette année, je ferais bien un .... sur le jury du Festival. Pour savoir comment les films sont sélectionnés, comment les prix sont attribués...

LE RÉDACTEUR : – Oui, pourquoi pas, ça peut plaire à nos lecteurs.

3 Classez les activités d'un journaliste dans un ordre logique.

a sélectionner des informations

b formuler les informations dans un langage spécifique (écrit, parlé...)

c analyser et commenter les informations
d vérifier les informations
e recueillir des informations
f hiérarchiser les informations

Journaliste et photographe

4 Complétez la grille à l'aide des définitions.

Horizontalement
1 Des photographes pour la presse à scandale.
2 *Une nouvelle sensationnelle.*
3 Mot familier de « cachette ».
4 Lieu, à l'intérieur, dans lequel on photographie une personne.
5 Personne responsable du contenu et de la cohérence d'un magazine/d'un journal.

Verticalement
6 Prendre une attitude pour être photographié.
7 Travail d'un journaliste qui sert à informer le public sur un sujet précis (un évènement d'actualité, une activité humaine...).
8 Suivre une personne sans se faire remarquer.
9 Travail portant sur un sujet donné, réalisé à partir d'une documentation et d'interviews recueillies sur le terrain.

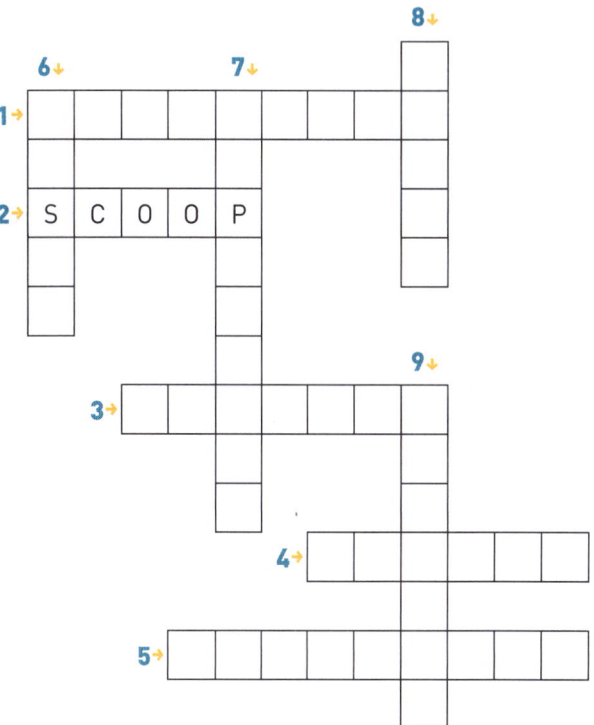

Expressions

5 Remplacez les expressions soulignées par des expressions équivalentes.

a <u>Ce que j'aime</u>, c'est le journalisme de terrain.
b Je lui demande sa carte professionnelle.
c Ce journaliste <u>va beaucoup trop loin</u>.
d Cette chaîne d'information <u>travaille à l'américaine</u>.
e Ce photographe <u>ne lâche jamais</u>, il sort toujours la photo qu'il veut montrer.

Phonétique

Le mot phonétique : pause, rythme et accentuation

6 Lisez cette phrase en respectant le rythme et l'intonation et en faisant le maximum de pauses. Écoutez ensuite et répétez.

Le journalisme en ligne est une forme de journalisme qui utilise Internet comme principal support, par le biais notamment de versions électroniques, de médias traditionnels ou bien de journaux en ligne.

7 Relisez ce texte en faisant cette fois le minimum de pauses. Écoutez ensuite et répétez.

Dossier 2 Images

Leçon 7 | Nous, journalistes

Comprendre

Un article

1 Vrai ou faux ? Lisez l'article et cochez les réponses correctes. Justifiez vos réponses en citant un extrait du texte.

Vie privée - Vie publique

> « *Qu'est-ce que les années 2000 ont apporté, artistiquement, culturellement, intellectuellement ?* »

C'est la question que Frédéric Taddeï pose à tous ses invités au début de chacune de ses émissions quotidiennes de radio *Europe 1 Social Club*. À mon avis, l'émission de télévision qui a fait bouger les choses au cours de cette première décennie, c'est celle, passionnante, de Mireille Dumas : *Vie privée, vie publique*. Lancée le 3 octobre 2000, elle a marqué un véritable tournant et a ouvert la voie à d'autres documents, comme *Un jour, un destin* de Laurent Delahousse : des plongées dans la vie intime des personnalités célèbres, des femmes et des hommes publics, artistes, stars ou politiques. [...] Depuis, l'Internet s'est propagé sur toute la planète, même en France, et les médias ont compris que plus rien ne serait comme avant, que les barrières qui protégeaient l'intimité de la vie privée ont disparu. Sur Internet, plus question d'intime, tout est devenu « extime ». Les responsables politiques sont exposés à cette évolution en première ligne car lorsqu'on vote pour un chef d'État, on accepte de moins en moins de ne pas savoir qui est la personne à qui on confie les clefs de notre vie quotidienne.

D'après Nathalie Rheims, Le Point.fr, publié le 16/01/2014.

		Vrai	Faux
a	L'émission de Frédéric Taddeï a marqué les années 2000. Justification :	☐	☐
b	De nouvelles émissions sur la vie privée des célébrités sont apparues. Justification :	☐	☐
c	Seules les célébrités du cinéma et de la chanson exposent leur vie privée. Justification :	☐	☐
d	Internet a effacé la limite entre la vie privée et la vie publique. Justification :	☐	☐
e	La vie privée des chefs d'État n'intéresse pas les citoyens. Justification :	☐	☐

Un micro-trottoir

2 Un journaliste a posé la question suivante à 5 personnes : « Les journalistes doivent-ils parler de la vie privée des hommes politiques ? » Écoutez les réponses et faites les activités demandées.

a Dites quelle est l'opinion générale de chaque personne en cochant les cases du tableau.

	☺	☹	☺/☹
personne 1	☐	☐	☐
personne 2	☐	☐	☐
personne 3	☐	☐	☐
personne 4	☐	☐	☐
personne 5	☐	☐	☐

b Associez chaque personne à une affirmation.

personne 1 ▪   ▪ **A** Parler de sa vie privée est une stratégie de communication.
personne 2 ▪   ▪ **B** Insister sur une information secondaire fatigue l'opinion.
personne 3 ▪   ▪ **C** Une personne publique n'a plus de vie privée.
personne 4 ▪   ▪ **D** Il faut respecter la vie privée de chaque personne.
personne 5 ▪   ▪ **E** Il y a des sujets plus intéressants.

▎Vocabulaire

Le journalisme

3 Retrouvez la profession de ces personnes.

Je travaille pour la presse écrite ou audiovisuelle et je transmets des informations.

→ *Je suis journaliste.*

a

Je rassemble des informations sur le lieu d'un événement et je les rapporte.

→ Je suis ....

b

Je rédige des articles qui expriment l'opinion de la rédaction du journal où je travaille.

→ Je suis ....

c

Je dirige les services de rédaction d'un journal.

→ Je suis ....

4 Bernard poste un message sur le site du journal *Le Monde* pour réagir à l'article de François Dufour. Complétez avec : *commentaire, critique, défendre, éthique, liberté d'expression, secret professionnel*.

VOS RÉACTIONS (26)   réagir

Bernard il y a 2 semaines

Bravo pour votre article ! À mon avis, si les journalistes doivent protéger leur ....,
ils ont aussi des devoirs à respecter. Malheureusement, certains journalistes n'ont pas de morale et se
moquent de l'... . Comme un médecin, il est indispensable qu'un journaliste sache
garder le .... Évidemment, il faut .... la liberté
d'information. De plus, la .... est indispensable pour le développement des idées.
Mais tout ne peut pas être objet de ....

Dossier 2 Images
Leçon 7 Nous, journalistes

Grammaire

L'expression de l'obligation

5 Reformulez les obligations du journaliste.

a Obligation de rectification de toute information inexacte.
→ S'obliger ....

b Obligation de protection des sources confidentielles.
→ S'obliger ....

c S'obliger à vérifier les sources des informations publiées.
→ Il doit ....

d S'obliger à respecter la vie privée des personnes.
→ Il doit ....

e Il doit citer les sources utilisées.
→ Obligation ....

Les valeurs du subjonctif

6 Transformez comme dans l'exemple.

Respecter les gens. → Il faut que tu respectes les gens.

a Connaître la loi écrite et éthique. → Il est fondamental qu'il ....

b Suivre le Code civil. → Il est essentiel que vous ....

c Garder le secret professionnel. → Il est nécessaire que nous ....

d Dire la vérité aux lecteurs. → Il faut que tu ....

e Faire attention aux rumeurs. → Il est indispensable qu'ils ....

7 Ludovic donne des conseils à sa collègue Pauline. Remplacez les structures à l'infinitif par des structures au subjonctif comme dans l'exemple.

De : ludomarchand@gmail.com
À : pauline.tellier@yahoo.fr
Objet : Conseils pour la semaine prochaine

Je te remercie de me remplacer la semaine prochaine. Voici quelques points à traiter en priorité : il faut **terminer** → *il faut que tu termines* l'article sur le Premier ministre mais, avant cela, il est indispensable **d'être sûr** .... de toutes les informations. Vérifie bien les sources. Il est aussi essentiel **de te mettre d'accord** .... avec Damien pour choisir l'illustration de cet article. À propos de l'émission *Ce soir (ou jamais !)*, il est fondamental **d'avoir** .... le dossier sur le thème du débat. Il faut donc **pouvoir** .... le compléter très vite. Pour ton prochain dossier, il est nécessaire **de me dire** .... quel thème tu as finalement choisi parce qu'il faut **obtenir** .... l'autorisation de notre rédacteur en chef. Envoie-moi un e-mail pour m'informer de tout cela. Bon courage !
Ludovic

Communiquer

Pour formuler des obligations

8 Choisissez une des deux professions et écrivez la charte de cette profession. Variez les différentes formules de l'obligation *(devoir, s'obliger à, obligation de, il faut, il est indispensable de…)*.

a

b

La Charte du ....

Article 1 : ....
Article 2 : ....
Article 3 : ....
Article 4 : ....
Article 5 : ....
Article 6 : ....
Article 7 : ....

Pour donner des conseils

9 Romain est étudiant en journalisme. Pour un journal destiné aux lycéens, il parle du métier de journaliste et donne des conseils à ceux qui veulent exercer ce métier. Écrivez son témoignage.

Romain Picot, 22 ans, étudiant en 2ᵉ année de journalisme
Le métier de journaliste est passionnant parce qu'il est très varié : on peut travailler pour différents médias et traiter tous les domaines ou se spécialiser dans le domaine de son choix. C'est un métier profondément humain car pour être un bon journaliste, il faut aimer les rencontres.

....
....
....
....
....

Pour donner son avis

10 Et vous ? Faites-vous confiance aux journalistes de votre pays ? Faites des recherches pour savoir s'ils respectent une charte et, si oui, laquelle.

Dossier 2 Images

Leçon 8 Médias

Comprendre

Une émission radiophonique

1 Écoutez l'émission de radio. Cochez les réponses correctes et répondez aux questions.

a Selon Médiamétrie, les Français ont passé en 2014 moins de temps devant la télé :
- ☐ **1** parce qu'ils préfèrent regarder des films sur grand écran.
- ☐ **2** parce qu'il n'a pas fait très froid en hiver.
- ☐ **3** parce qu'ils en passent plus avec les smartphones et les tablettes.

b L'année d'avant, en 2013, les Français avaient passé devant leur télé :
- ☐ **1** 3 h 37.
- ☐ **2** 3 h 45.
- ☐ **3** 3 h 53.

c Quelles personnes sont particulièrement touchées par cette baisse de fréquentation ?

....

d Cette situation inquiète-t-elle le patron de TF1, Nonce Paolini ? Justifiez votre réponse.

....

....

e La déclaration du patron de TF1 n'a pas été bien reçue par :
- ☐ **1** la journaliste.
- ☐ **2** les réseaux sociaux et la présidente de l'association « Enfance – Télé : danger ? ».
- ☐ **3** la journaliste, les réseaux sociaux et la présidente de l'association « Enfance – Télé : danger ? ».

f Jeannine Busson, la présidente de l'association « Enfance – Télé : danger ? », pense qu'on peut mettre un enfant devant la télé à partir de l'âge de 3 ans.
- ☐ Vrai   ☐ Faux

Une chronique

2 Vrai ou faux ? Écoutez la chronique et cochez les réponses correctes.

	V	F
a L'exposition *Paparazzi ! Photographes, stars et artistes* a beaucoup de succès.	☐	☐
b L'artiste irlandais Malachi Farrell accueille les visiteurs.	☐	☐
c Pour ne pas se faire remarquer, les paparazzi s'habillent comme des touristes.	☐	☐
d Chasseur d'images est une profession qui existe depuis 1960.	☐	☐
e Ces photographes n'ont pas très bonne réputation.	☐	☐
f En photographiant les stars, ces photographes volent toujours leur intimité.	☐	☐
g C'est la première fois que leurs photos sont exposées.	☐	☐

Vocabulaire

Les médias

3 Complétez l'e-mail avec : *les médias, s'informer, l'actualité, s'intéresser, être accro, consommer, approfondir, un débat*. Conjuguez les verbes et faites les accords si nécessaire.

De : fabien75018@hotmail.fr
À : isa.deschamps@gmail.com
Objet : émission télé

Coucou Isa,

J'ai regardé hier soir sur Arte …................................ très intéressant sur …................................ qui m'a rappelé la discussion animée qu'on a eue l'autre soir. Toi qui es journaliste, je te conseille vivement de le voir. Il est en rediffusion sur le site www.pluzz.fr. Tu me disais que les jeunes ne …................................ à rien, à part …................................ . Eh bien, justement, un des invités, un sociologue, disait qu'ils suivaient …................................ tout autant que leurs aînés, mais juste différemment. Comme ils …................................ à leur smartphone, c'est sur leur téléphone qu'ils …................................ de ce qui se passe dans le monde. Ils ne sont pas aussi égoïstes que tu le disais !

Mais on pourra …................................ le sujet quand on se verra. ;-)
Gros bisous
Fabien

L'exposition

4 Retrouvez les 7 mots cachés dans la grille puis complétez le texte.

A	M	M	X	O	F	E	F	J	Q	Z	B	K	X	F	P
O	W	Y	Z	S	X	L	U	D	Y	U	N	X	E	S	A
D	K	O	D	I	E	P	Z	Q	Y	W	T	T	U	Z	P
W	X	M	S	H	X	G	E	Z	I	B	Y	W	G	Q	A
N	O	I	T	I	S	O	P	X	E	T	F	M	O	O	R
P	A	S	S	I	O	N	N	A	N	T	E	Y	L	I	A
E	M	I	A	V	R	R	K	R	R	N	U	H	A	D	Z
P	H	E	N	O	M	E	N	E	J	E	W	Y	T	D	Z
O	E	U	V	R	E	O	U	B	H	W	W	I	A	S	I
Q	R	B	B	L	H	J	D	O	G	T	B	S	C	J	E

Peut-on parler d'…................................ quand on regarde les photos des …................................ ? Pourtant, depuis l'…................................ sur ces chasseurs d'images, le …................................ où toutes ces …................................ sont présentées se vend très bien. C'est vraiment …................................ de voir comment c'est devenu un véritable …................................ de société.

Dossier 2 **Images**
Leçon 8 **Médias**

Grammaire

Présenter des résultats statistiques, dire des proportions

5 Réécrivez les phrases en remplaçant les % par une expression équivalente : *deux tiers, six sur dix, la moitié, un quart, une minorité, la plupart, presqu'un tiers.*

a Seuls 25 % des Français pensent que les journalistes exercent leur métier en toute indépendance.

→ .... des Français pensent que les journalistes exercent leur métier en toute indépendance.

b Quand on interroge les Français, 60 % se disent intéressés par les prochaines élections.

→ Quand on interroge les Français, ... se disent intéressés par les prochaines élections.

c Un peu plus de 50 % des personnes interrogées font confiance à la presse écrite.

→ Un peu plus de .... des personnes interrogées font confiance à la presse écrite.

d La presse nationale ou régionale n'est pas lue régulièrement par 32 % des personnes interrogées.

→ La presse nationale ou régionale n'est pas lue régulièrement par .... des personnes interrogées.

e 66 % des Français pensent que les journalistes sont incapables de résister aux partis politiques et au pouvoir.

→ .... des Français pensent que les journalistes sont incapables de résister aux partis politiques et au pouvoir.

f 70 % des moins de 35 ans se méfient des journalistes.

→ .... des moins de 35 ans se méfient des journalistes.

g 17 % des Français écoutent l'actualité nationale et internationale à la radio.

→ .... des Français écoutent l'actualité nationale et internationale à la radio.

Le gérondif

6 Complétez le sondage avec les verbes au gérondif.

a Comment préférez-vous vous informer ?

  1 (regarder) .... la télévision.

  2 (lire) .... le journal.

  3 (écouter) .... la radio.

b Comment apprenez-vous le mieux une langue étrangère ?

  1 (être) .... dans le pays.

  2 (suivre) .... un cours dans une école.

  3 (avoir) .... un professeur particulier.

c Comment avez-vous entendu parler de cette exposition ?

  1 (surfer) .... sur Internet.

  2 (discuter) .... avec une amie.

  3 (aller) .... au musée.

d Comment avez-vous retrouvé votre téléphone ?

  1 (réfléchir) .... à ce que j'avais fait.

  2 (ranger) .... mon bureau.

  3 (m'appeler) .... pour le faire sonner.

Communiquer

Pour donner son opinion

7 Regardez le sondage. Quelle opinion se rapproche le plus de la vôtre ? Répondez et donnez des exemples sur le forum.

Pour commenter un sondage

8 Regardez les sondages. Commentez-les avec votre voisin(e) et répondez aux questions posées.

Dossier 2 Images

Leçon 9 # Brassaï

Comprendre

Un article

1 Lisez l'article. Répondez aux questions et cochez la réponse correcte.

La banlieue grise d'un Doisneau méconnu

Il y a plusieurs Doisneau. Celui qu'on a vu et revu ces dernières années, le photographe de carte postale avec son Paris enchanté, ses amoureux romantiques, ses cafés parisiens pittoresques… Mais il y a un autre Doisneau, plus sombre, à découvrir dans une très belle exposition de la Fondation Henri Cartier-Bresson, « Doisneau – Du métier à l'œuvre ».

La directrice de la fondation, Agnès Sire, s'est inspirée d'un texte que le critique Jean-François Chevrier avait écrit en 1982. « En lisant le texte, dit-elle, j'ai découvert un Doisneau que je n'avais jamais vu. J'ai passé du temps dans l'atelier, et j'ai été étonnée par la gravité de ce que je trouvais. »

L'exposition présente une œuvre nouvelle, surprenante et mélancolique, très différente du « style Doisneau ». Dans la sélection dominent les photos publiées dans le premier livre de Robert Doisneau, *La Banlieue de Paris* (1949). À l'époque, le photographe travaille pour la presse, mais dès qu'il peut, il photographie la banlieue de son enfance : des immeubles tristes, des petits pavillons sous un ciel gris et des horizons de cheminées d'usine.

Le centre d'art « Le Point du jour » à Cherbourg avait déjà présenté quelques images de cet autre Doisneau. C'est désormais au tour de la Fondation Henri Cartier-Bresson. Reste à savoir si le public les suivra dans cette passionnante redécouverte.

a Quel événement est à l'origine de cet article ?
....

b Qui sont les différentes personnes citées ?
....
....

c Qu'est-ce qui caractérise les œuvres de Doisneau :

  1 lorsqu'il photographie Paris ?
  ....
  ....

  2 lorsqu'il photographie la banlieue ?
  ....
  ....

d Quelle photo peut-on voir dans cette exposition ? Justifiez votre réponse.
....
....
....

1   **2**

e Quelle exposition a eu lieu en premier ?
- ☐ **1** L'exposition de la Fondation Henri Cartier-Bresson.
- ☐ **2** L'exposition du centre d'art « Le Point du jour » à Cherbourg.

Une conversation

2 Écoutez la conversation entre Guillaume et sa mère. 🎧 11
Mettez les événements de la vie de Robert Doisneau dans l'ordre.

- **a** Photographie publicitaire.
- **b** Rencontre avec Jacques Prévert.
- **c** Photographie industrielle pour le constructeur automobile Renault.
- **d** Reportages en France et à l'étranger.
- **e** Rencontre avec Blaise Cendrars.
- **f** Reportage publié dans la revue *L'Excelsior*.

1	2	3	4	5	6
……	……	……	……	……	……

Vocabulaire

L'art et les sentiments

3 Complétez les coupures de presse avec : *couleurs, éprouver* (au passé composé), *atmosphère, inaltérable, noir et blanc, recevoir, prix* (x3).

a
Le Grand …………… national de la photographie, remis par le ministère de la Culture de 1978 à 1997, récompensait un photographe pour l'ensemble de son œuvre. Brassaï a été le premier photographe à le …………………… en 1978 et Jean-Paul Goude le dernier en 1996.
Ce ………… n'existe plus, il a été remplacé par le Grand ………… national des arts visuels en 1998.

b
Brassaï ……………… un amour ……………… pour la photographie en ……………………
Il existe pourtant des photos en ……………………… faites par l'artiste aux États-Unis en 1957.
Ce reportage américain, commandé par le journal *Holiday*, reflète l'……………………… de l'époque de New York à la Louisiane.

La biographie

4 Complétez les phrases avec : *naissance, mort, pays natal, naturalisation, naturalisé*.

- **a** Josef Koudelka est un photographe tchèque ……………………… français en 1987. Il avait quitté son ……………………… en 1970.
- **b** Picasso a demandé sa ……………………… le 3 avril 1940 à la France. À sa ………………………, en 1973, il avait toujours la nationalité espagnole.
- **c** Le 14 avril 1912, il s'est passé deux événements importants : le naufrage du Titanic et la ……………………… du grand photographe Robert Doisneau.

Dossier 2 — Images
Leçon 9 — Brassaï

Grammaire

Les temps du récit (1)

5 Conjuguez les verbes entre parenthèses au passé composé ou à l'imparfait.

> Robert Doisneau *(naître)* .... en 1912 à Gentilly, dans une famille bourgeoise qui *(avoir)* .... une entreprise de plomberie. Il *(étudier)* .... les arts graphiques et *(obtenir)* .... son diplôme de graveur et lithographe en 1929. Il *(commencer)* .... sa vie professionnelle comme photographe publicitaire dans l'atelier Ullmann puis comme photographe industriel pour le constructeur automobile Renault. En 1946, il *(devenir)* .... photographe indépendant pour l'agence de photographie Rapho et il *(réaliser)* .... de nombreux reportages sur différents sujets en France et à l'étranger. Robert Doisneau *(se définir)* .... comme un « passant patient » et il *(conserver)* .... toujours une certaine distance vis-à-vis de ses sujets. Il *(chercher)* .... la petite histoire. Ses photos *(être)* .... souvent pleines d'humour mais également de nostalgie et de tendresse. Il *(photographier)* .... Paris et sa banlieue. Il *(mourir)* .... en 1994 à Montrouge.

Le plus-que-parfait

6 Soulignez les verbes au plus-que-parfait.

a Nous sommes allés voir cette exposition hier.
b J'étais fatigué ce week-end.
c Vous aviez visité ce musée ?
d Nous avons adoré toutes ces photos !
e Ils s'étaient rencontrés l'année dernière.
f Ce photographe n'était pas très connu.

7 Transformez comme dans l'exemple. Utilisez le passé composé, l'imparfait ou le plus-que-parfait.

Je rencontre l'homme qui a pris cette photo. → J'ai rencontré l'homme qui avait pris cette photo.

a Il lit le livre que tu lui as conseillé.
....
b Je suis heureuse car tu as téléphoné.
....
c Nous regardons le catalogue dont tu nous as parlé.
....
d Elle rentre parce qu'elle a oublié ses clés.
....
e Tu fais le travail que je t'ai demandé ?
....
f Vous êtes là car je vous ai demandé de venir.
....

texto | Dossier 2 ■ Leçon 9

8 Conjuguez les verbes entre parenthèses au passé composé ou au plus-que-parfait.

a Il *(arriver)* .... en retard parce ce qu'il *(ne pas noter)* .... la bonne adresse.

b Elle *(s'inscrire)* .... dans cette école de photographie parce qu'elle *(réussir)* .... son entretien d'admission.

c En 1946, Doisneau *(commencer)* .... à travailler pour l'agence de photographie de Charles Rado, qu'il *(rencontrer)* .... quelques années avant.

d J'*(perdre)* .... l'appareil photo que tu m'*(offrir)* ....

e Brassaï *(venir)* .... vivre à Paris en 1924, où il *(passer)* .... quelques années dans son enfance.

f Vous *(voir)* .... le film que je vous *(conseiller)* .... ?

▎Communiquer

Pour présenter et décrire une photo

9 Présentez et décrivez ces photos.

a Édouard Boubat, *Jardin du Luxembourg (Paris)*, 1956

b Robert Doisneau, *Pont des Arts (Paris)*, 1953

Pour écrire une biographie

10 Faites des recherches sur l'un des photographes suivants puis présentez-le à la classe.

Édouard Boubat   Josef Koudelka

Raymond Depardon   Jean-Paul Goude

11 Interrogez un(e) étudiant(e) de la classe sur sa vie puis écrivez sa biographie.

Dossiers 1 et 2 — Bilan

1 Lucas, Virginie et leur ami américain Tom sont à la terrasse d'un café. Ils viennent de voir une exposition de photos de Sabine Weiss. Écoutez leur discussion. Répondez aux questions et cochez les réponses correctes.

a Les trois amis ont-ils aimé cette exposition ? Pourquoi ?

Lucas : ....

Tom : ....

Virginie : ....

b À quel courant appartenait Sabine Weiss ? ....

c Pourquoi Virginie connaît-elle bien cette photographe ?
- ☐ 1 Parce qu'elle fait de la photographie.
- ☐ 2 Parce qu'elle a lu le catalogue de l'exposition.
- ☐ 3 Parce qu'elle enseigne l'histoire de l'art.

d Virginie en a assez de son travail (plusieurs réponses) :
- ☐ 1 à cause de ses collègues.
- ☐ 2 à cause de son salaire.
- ☐ 3 à cause de son contrat de travail.
- ☐ 4 à cause du jeune âge de ses élèves.
- ☐ 5 à cause du manque de motivation de ses élèves.
- ☐ 6 à cause du nombre d'élèves dans ses classes.

e Virginie envisage de :
- ☐ 1 reprendre ses études.
- ☐ 2 changer de métier.
- ☐ 3 tout faire pour avoir un CDI.

f Que lui conseille Lucas ? ....

2 Lucas transfère par e-mail à Virginie un article lu dans *20 minutes*. Lisez-le et remplissez le tableau.

Plus de deux enseignants du secondaire sur trois envisagent de changer de métier

Pour ces profs, l'école, c'est fini

Les cours, les copies à corriger, les rendez-vous avec les parents… Ils en ont eu assez. Selon un récent sondage Ifop pour l'association SOS Éducation, 68 % des enseignants du secondaire ont déjà envisagé de changer de métier. « Il y a environ 1 000 démissions par an (primaire et secondaire confondus) et 5 800 mises en disponibilité pour convenance personnelle », selon Rémi Boyer, président de l'association Aide aux profs.

« Très découragé »

Jean-Marc, 36 ans, est l'un d'eux. Après avoir été prof de maths pendant douze ans en lycée, il va devenir contrôleur des finances. « J'avais envie de rester dans la fonction publique. J'ai rencontré des personnes qui exerçaient dans ce domaine et qui m'ont semblé épanouies dans leur travail », raconte-t-il. « Il ne m'est psychologiquement plus possible de faire cours, ajoute l'enseignant, actuellement en arrêt de travail. Car je suis très découragé par le système scolaire actuel, qui n'a pas su évoluer. »

« Je fais passer les épreuves du bac et après j'arrête », annonce tout sourire Alix, 42 ans. Cette professeure de français en lycée depuis quinze ans s'apprête à devenir psychologue. « J'ai beaucoup aimé être prof, souligne-t-elle. Mais je ne voulais pas devenir une prof usée, ce qui aurait nui autant aux élèves qu'à moi. »

Plus radicale, Julie, 31 ans, a démissionné après seulement trois ans d'exercice. « Ma décision d'arrêter est venue lorsque je me suis rendu compte que je n'aurais pas de poste fixe avant longtemps », confie cette ex-prof d'espagnol remplaçante. La jeune femme a retrouvé un poste en agence de communication. « Ça me sert d'avoir été prof, car je sais faire de la pédagogie et bien m'exprimer à l'oral. »

Delphine Bancaud, *20 minutes* du 23 juin 2014

	Matière enseignée	Durée	Raison du changement	Nouveau poste
Jean-Marc	....	....	....	....
Alix	....	....	....	....
Julie	....	....	....	....

3 Vincent envoie un SMS à Virginie pour lui dire d'écouter une émission radiophonique sur les nouveaux métiers. Écrivez ce SMS.

4 Écoutez le début de l'émission de radio sur les nouveaux métiers et complétez les notes de Virginie.

Métier : ....
Ce service s'adresse à ....
Parcours de Magali, 36 ans :
- pendant des années, ...
- fin 2013, ...
Ville : ....
Raisons du changement de métier :
- la .... fille
- ....
- le manque de ....
Magali a constaté que beaucoup de gens n'avaient pas ....
..

Exemples de services proposés par Magali :
- ....
..
- ....
..
Elle s'est renseignée pour savoir si ces services existaient mais soit ....
..
soit ....
..
Elle a parlé de son projet à ....
et à ....

5 Virginie, enthousiasmée par ce qu'elle vient d'écouter, participe au forum de l'émission. Elle décrit sa situation actuelle (cf. activité 1), donne son opinion sur l'expérience de Magali et cite quelques conseils qui lui semblent importants de suivre pour choisir un nouveau métier. Écrivez ce témoignage.

Forum Des nouveaux métiers

J'ai écouté l'émission d'aujourd'hui et l'expérience de Magali me donne envie de changer de métier.

Dossier 3 Voyages

Leçon 11 | Carte postale... sonore

Vocabulaire

Les sons et l'espace

1 Classez les mots dans une catégorie : ~~un endroit~~, le décor, ~~écouter~~, un environnement, la scène, le bruit, se déplacer, la voix, entendre, un lieu, une composition musicale, un instrument.

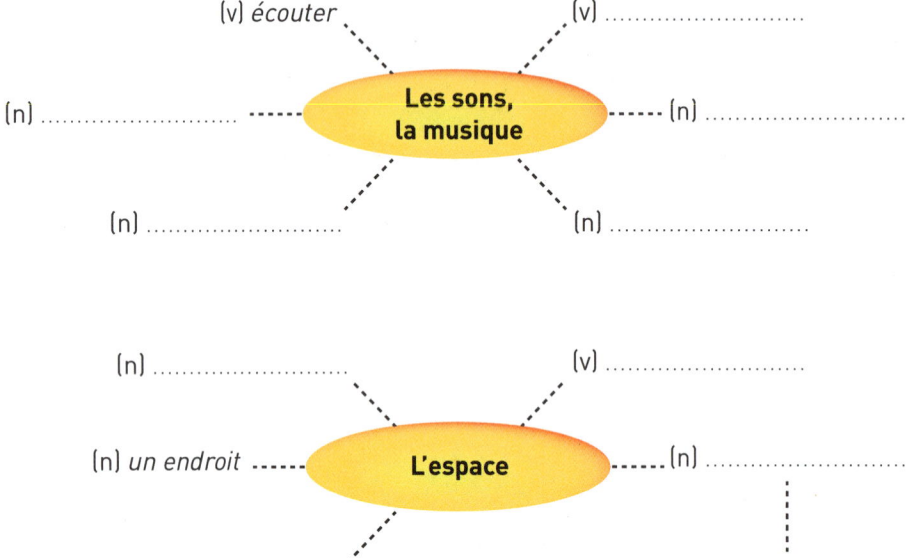

2 Complétez l'exercice 1 avec tous les mots que vous connaissez en relation avec les sons et l'espace.

Les cinq sens

3 Associez un sens à chaque élément.

1. L'ouïe (entendre)
2. L'odorat (sentir)
3. Le goût (goûter)
4. La vue (voir)
5. Le toucher (toucher)

a. un bruit
b. un décor
c. une voix
d. une saveur
e. une odeur
f. une musique
g. des couleurs
h. un parfum

La création

4 Retrouvez les synonymes à l'aide de la liste suivante : *créer, dire une histoire, transférer, raconter, décrire quelqu'un, faire une liste, se servir (de)*. Puis faites une phrase avec chaque synonyme.

a Raconter une anecdote → ....
b Dresser un inventaire → ....
c Réaliser → ....
d Transmettre → ....
e Utiliser → ....
f Faire le portrait de quelqu'un → ....

Les impressions

5 Voici le récit d'un Français à Hong Kong. Complétez-le avec les mots : *se mélanger* (conjugué), *bruits, dynamisme, banal, immersion, lieu, partager mes impressions, colorées, saveurs, dimension poétique*. Puis, associez les quatre photos aux cinq commentaires.

.... à Hong Kong.

Je découvre Hong Kong... Ce .... n'a rien de .... pour moi et j'adore !
Dans cette immense ville asiatique, tradition et modernité .... **(1)**. À chaque coin de rue,
quelque chose m'étonne : un gratte-ciel ultra-moderne, une vitrine pittoresque, un temple bouddhiste...
Les ...., les odeurs et les couleurs m'emportent. J'aime beaucoup la lumière chaude de ces
lanternes chinoises .... **(2)**. Et puis, il y a la cuisine, ses parfums et ses ....
typiques **(3)**. Tout ça donne une .... **(4)** à ce décor.
J'ai l'impression de pouvoir toucher le .... de la ville **(5)** : traversez le passage piéton de
Causeway bay et vous comprendrez, c'est un vrai tourbillon !
J'essaie de .... mais le mieux, c'est de venir voir par vous-même !

a ☐   b ☐   c ☐   d ☐

Phonétique

Les sons [y] / [ɥi] et [u] / [w]

6 Lisez les phrases suivantes.

a Antoine s'endort tous les soirs en rêvant de pouvoir partir un jour sur la Lune.
b Trois nuits par mois, Lucien observe les étoiles sur le toit de sa maison.
c Pierre et les siens voyagent toujours en avion.
d Mon cousin Arthur couche régulièrement à la belle étoile.
e Voyager en groupe coûte moins cher qu'en individuel.

7 Écoutez pour vérifier votre prononciation.

Dossier 3 — Voyages

Leçon 12 — Bonne route !

Comprendre

Une émission de radio

1 Écoutez l'émission de radio. Cochez les réponses correctes et répondez aux questions.

a Quel est le thème de la chronique ?
- ☐ 1 les voyages en avion
- ☐ 2 la peur en avion
- ☐ 3 les passagers d'un avion

b Pourquoi Sylvain Lambert intervient-il dans la chronique ?
....

c L'objectif principal de la chronique est :
- ☐ 1 de décrire le comportement des passagers.
- ☐ 2 de proposer des activités aux passagers.
- ☐ 3 de donner des conseils aux passagers.

d Quels sont les différents types de passagers évoqués par Sylvain Lambert ?
....
....
....

e Quel effet ont les images d'accidents d'avion sur les gens ?
....

f Que doit faire un passager pour se sentir bien pendant un voyage en avion ? (4 réponses.)
- ....
- ....
- ....
- ....

texto | Dossier 3 ■ Leçon 12

Un article

2 Lisez l'article et faites les activités demandées.

Dans le fameux classique de Jules Verne, Philéas Fogg a toutes les difficultés du monde à parcourir la planète en 80 jours. Pourtant, au XXIe siècle, le tour du globe a presque l'allure d'une promenade de santé. Il suffit d'acheter un billet « tour du monde ». [...]

À vous de décider si vous souhaitez partir vers l'est ou vers l'ouest. Tous les billets RTW* exigent le choix d'une direction et un parcours toujours dans le même sens. Tout comme Philéas Fogg, vous devrez commencer et terminer votre périple au même endroit.

DEUX ITINÉRAIRES THÉMATIQUES AUTOUR DU MONDE

Aventure

Décollez de Londres et partez vers l'est. Ralliez Delhi, puis le Népal pour une randonnée himalayenne. Mettez ensuite le cap sur la Nouvelle-Zélande. De là, vous ne serez plus très loin de Sydney et de l'Australie, ses plages et ses déserts. Un autre vol vous conduira jusqu'à Los Angeles. Ensuite, prenez la Route 66 vers la côte Est puis décollez de New York pour rejoindre Londres.

Culture et carnavals

Depuis Londres, mettez le cap sur le Maroc avant d'aller vers l'Afrique du Sud. Envolez-vous pour Hong Kong. Pékin, la capitale chinoise, est à quelques heures d'avion de là. Puis, survolez le Pacifique et ralliez San Francisco avant de reprendre l'avion pour le sud et Rio de Janeiro, juste à temps pour le carnaval. Un court trajet vous conduira ensuite jusqu'à Buenos Aires. De là, regagnez Londres en passant par New York.

*RTW : « round-the-world » : billet tour du monde.

a Répondez aux questions.

1 Que doit-on avoir pour partir à l'aventure ?

....

2 Quelles sont les deux conditions à respecter pour réaliser le voyage ?

....

b Tracez les deux itinéraires thématiques sur les planisphères. Aidez-vous si besoin d'Internet.

1 Aventure

2 Culture et carnavals

Dossier 3 Voyages
Leçon 12 | Bonne route !

Vocabulaire

Les actions

3 Complétez avec les mots des actions.

a .... b .... c ....

Grammaire

Les pronoms démonstratifs avec des pronoms relatifs simples

4 Associez.

a Il y a différents types de voyageurs.

1 Il y a ceux qui ▪ ▪ A les voyages en avion stressent.
2 Il y a ceux que / qu' ▪ ▪ B les valises sont toujours trop lourdes.
3 Il y a ceux dont ▪ ▪ C organisent tout dans les plus petits détails.

b Il y a différents stewards.

1 Il y a celui qui ▪ ▪ A les femmes rêvent comme mari.
2 Il y a celui que / qu' ▪ ▪ B sourit toujours.
3 Il y a celui dont ▪ ▪ C on ne voit jamais.

c Il y a différentes vacances.

1 Il y a celles qui ▪ ▪ A permettent de se changer les idées.
2 Il y a celles que / qu' ▪ ▪ B on revient grandi humainement.
3 Il y a celles dont ▪ ▪ C on choisit quand on est amoureux.

5 Complétez les phrases avec *celui*, *celle*, *ceux* ou *celles* suivi de *qui*, *que* ou *dont*.

a Pour tous .... rêvent d'évasion, notre agence propose des destinations de rêve.

b Je choisirai la meilleure compagnie aérienne, ... offre le meilleur service.

c Si tu ne sais pas dans quel hôtel aller, je te conseille .... j'ai réservé. Il te plaira.

d Je prends des centaines de photos mais j'imprime seulement .... je préfère.

e Les aventuriers, ... les régions isolées attirent, existent encore !

f Quelles sont vos plus belles vacances, ... vous vous souviendrez toute votre vie ?

g Il y a différents types de voyages, comme .... change notre vie ou .... on rêve mais qu'on ne fera jamais...

texto | Dossier 3 ■ Leçon 12

Communiquer

Pour décrire une personne

6 À deux, choisissez un type de voyageur : écrivez son profil en quelques lignes et donnez-lui un nom.

a

b

c

d

e

f

Pour écrire un texte publicitaire

7 À deux, créez une publicité pour un club de vacances sur le modèle de celle du manuel (document 3 p. 50). Imaginez différentes destinations pour différents profils de vacanciers, écrivez le texte publicitaire et illustrez-le avec une ou plusieurs photos. Affichez les publicités dans la classe et votez pour la meilleure.

Dossier 3 Voyages

Leçon 13 | Éthique

Comprendre

Une émission de radio

1 Écoutez l'émission de radio. Répondez aux questions et cochez les réponses correctes. 🎧 16

a Que peut-on voir dans le parc national de Taï, en Côte d'Ivoire ?
....

b Que trouve-t-on dans le premier hôtel écologique du pays ?
....

c Le secteur touristique ivoirien se porte-t-il bien ? Pourquoi ?
....

d Comment le gouvernement pense-t-il augmenter le nombre de touristes ?
- ☐ 1 En aménageant des zones du parc pour les chimpanzés.
- ☐ 2 En mettant l'eau courante dans tous les hôtels du parc.
- ☐ 3 En développant l'écotourisme.

e Pourquoi les habitants de la région sont-ils confiants ?
....

Un article

2 Vrai ou faux ? Lisez l'article et cochez les réponses correctes.

Le Parc fait le pari de l'Écotourisme
Face aux critiques, le parc national du Mercantour répond « Écotourisme ».

Après les propos du maire de Nice évoquant « une réintroduction artificielle » du loup, le parc national du Mercantour souhaite instaurer une formule selon laquelle tourisme et préservation des lieux ne sont pas opposés. Tout l'été, jusqu'à octobre, il propose une nouvelle façon de découvrir les montagnes de la région.

« Préserver l'environnement, respecter les acteurs du Parc et faire du tourisme, voilà ce qu'est l'Écotourisme », résume Florent Favier, responsable des services « valorisation et sensibilisation » au sein du Parc.

Une soixantaine d'activités originales (gratuites ou payantes) y sont organisées : compter les vautours, découvrir des lamas, passer « une soirée pleine lune », s'exercer aux clichés de montagne ou encore rencontrer les producteurs de fromage de chèvre et de bières artisanales...

« Il ne s'agit pas de tourisme de masse, commente Florent Favier. On demande aux gens de prendre leur temps, de faire des rencontres. » Avec 600 000 visiteurs par an, cette zone classée est, aujourd'hui, une des plus visitées pour ses paysages.

« Nous souhaitons protéger la faune, la flore... Il y a donc des règles strictes. Mais, nous avons aussi réussi à inclure l'homme », souligne Florent Favier.

	V	F
a Le maire de Nice a soutenu la réintroduction du loup dans le parc.	☐	☐
b Le parc national du Mercantour a été critiqué plusieurs fois.	☐	☐
c Le tourisme et la préservation de l'environnement sont contradictoires.	☐	☐
d Des animations originales sont proposées aux touristes.	☐	☐
e Florent Favier pense que l'écotourisme est compatible avec le tourisme de masse.	☐	☐

Une charte

3 Lisez la charte et associez.

Charte Écotourisme Seignanx 2014
Les 10 critères :

1. Entretenir les espaces verts sans pesticides, avec des produits AB.
2. Utiliser du matériel qui respecte l'environnement (équipement durable, matière écologique...).
3. Préserver la qualité de l'eau en ne mettant aucun produit dangereux.
4. Informer la clientèle de la démarche écotourisme (affiches, autocollants...).
5. Installer un tri sélectif des déchets facilement accessible.
6. Installer des économiseurs d'eau pour la robinetterie.
7. Transmettre votre savoir et/ou mettre à disposition de la documentation sur l'environnement local (faune, flore, sentiers de randonnées...).
8. Préférer des produits qui limitent la production de déchets (pas de bouteilles en plastique) et/ou facilement recyclables (verre, papier, carton...).
9. Préférer des produits d'entretien éco-labellisés (pas de javel).
10. Utiliser des espèces végétales locales pour les futures plantations.

a Acheter éco-responsable
b Préserver la ressource en eau
c Réduire la production de déchets
d Favoriser la biodiversité
e Sensibiliser la clientèle

Office de tourisme du Seignanx – 05 59 45 19 19 – www.seignanx-tourisme.com

---

Vocabulaire

Le tourisme

4 Barrez l'intrus.

a visiter – rendre visite – voyager – découvrir

b la diversité – l'authenticité – la fuite – l'évasion

c les voyagistes – les agences de voyage – les prestataires – les touristes

d les touristes – les voyageurs – les groupes – les individus

La solidarité

5 Complétez les phrases avec : *solidaire, éthique, responsable, s'engager, acte citoyen, projets d'aide au développement*. Faites les transformations nécessaires.

a La spécialité « .... » a pour principal objectif professionnel de donner aux étudiants les outils qui leur permettront ensuite de travailler à l'international.

b L'écotourisme est un .... C'est une forme de voyage .... pour la protection de l'environnement et le bien-être des populations.

c Ce voyagiste est spécialisé dans l'écotourisme .... Son .... : s'engager pour un tourisme solidaire et durable.

d Si vous partez sur un de nos circuits, vous devez .... à respecter l'environnement.

Dossier 3 Voyages
Leçon 13 Éthique

Grammaire

Le but

6 Complétez avec des expressions de but.

> **MANIFESTE DES STATIONS VERTES DE VACANCES**
> **En avant l'écotourisme !**
>
> .... continuer à vivre du tourisme de demain et ....
> **d'avancer tous ensemble dans une démarche de progrès**
>
> ■ Nous voulons nous engager .... que demain, nos activités touristiques riment avec la préservation de notre patrimoine culturel.
> ■ Nous .... de maintenir nos activités humaines et économiques dans nos territoires.
> ■ .... que vous soyez informés de ce projet, rendez-vous sur www.stationverte.com

7 Associez.

a L'écotourisme est un outil efficace
b Nous nous donnons pour but
c Afin de réduire son empreinte écologique
d Cet hôtel a ouvert ses portes dans ce lieu unique
e L'objectif de cette spécialité est de former les étudiants

1 de faire connaître le patrimoine naturel et culturel de Mayotte.
2 afin que les touristes soient en harmonie avec l'environnement.
3 le camping s'est fixé comme objectifs de limiter la consommation d'eau, d'énergie ainsi que la production de déchets.
4 pour qu'ils soient capables d'aborder des domaines divers.
5 afin de développer les emplois locaux sans détruire l'environnement.

Communiquer

Pour se renseigner sur un voyage

8 Écrivez un e-mail à une agence qui organise des voyages spécialisés dans l'écotourisme et le tourisme durable sur mesure pour lui demander de vous organiser un voyage. Précisez le lieu, la durée, les dates et vos attentes.

De :
À : http://www.voyagespourlaplanete.fr
Objet : Demande d'informations

Pour donner envie de faire un voyage

9 Vous venez d'acheter un guide de l'écotourisme. Vous téléphonez à un(e) ami(e) pour le (la) convaincre de faire un voyage avec vous. Imaginez le dialogue.

Pour choisir la destination d'un voyage

10 Vous avez gagné un voyage écosolidaire pour deux. Mettez-vous d'accord sur la destination avec votre voisin(e).

Éco-Week-end en Baie de Somme

Les +
- Les dunes et les longues plages de sable au milieu des marais.
- La découverte d'une faune et d'une flore diversifiées.
- Le logement au cœur du parc en forêt.

Éco-Week-end à Béziers

Les +
- Hôtel situé au centre-ville.
- Idée week-end écolo.
- Situé au centre de la région Languedoc-Roussillon, possibilité de compléter votre séjour par d'autres journées à Perpignan, Narbonne, dans les châteaux cathares, Montpellier, Nîmes.

Dossier 3 Voyages

Leçon 14 | Destinations

Comprendre

Une conversation

1 Écoutez la conversation et faites les activités demandées. 🎧 17

  a Cochez les réponses correctes.

  1 Madeleine
  ☐ **A** revient de Corse.
  ☐ **B** part en Corse.

  2 Céline n'est jamais allée en Corse.   ☐ Vrai   ☐ Faux
  Justifiez votre réponse : ………………………………………………………………………………
  ………

  3 Pour Madeleine, la Corse est la destination idéale pour y passer ses vacances.   ☐ Vrai   ☐ Faux
  Justifiez votre réponse : ………………………………………………………………………………

  b Associez.

  Madeleine ■   ■ est allée ■   ■ au Vietnam.
  Céline ■   ■ aimerait aller ■   ■ en Thaïlande.
                     ■ projette d'aller ■   ■ au Cambodge.

Un blog

2 Lisez les messages et faites les activités demandées.

QUE FERIEZ-VOUS SI VOUS POUVIEZ PRENDRE UNE ANNÉE SABBATIQUE ?

Susie
12 février 2014 à 12 h 54
J'ai toujours voulu voir plus loin que là où j'habite, alors je partirais dans des pays intéressants, où il y a de superbes paysages. J'aimerais aller dans des pays anglophones comme l'Angleterre, l'Irlande, les États-Unis, le Canada. J'en profiterais pour prendre des cours d'anglais, j'adorerais parler cette langue parfaitement !

Tony
14 février 2014 à 18 h 13
J'ai plein de projets dans la tête et c'est difficile de les réaliser en travaillant 10 heures par jour. Si je pouvais prendre une année sabbatique, je m'y consacrerais. Par exemple, je rêve de créer une association sur le thème des cuisines du monde. J'aimerais aussi monter un groupe : je joue de la guitare et j'écris des chansons.

Yann
14 février 2014 à 20 h 47
Je ferais le tour du monde, tout simplement 🙂

Lyse
16 février 2014 à 17 h 28
La première chose que je ferais serait un voyage au Canada, juste pour voir la neige une fois dans ma vie. J'habite à Madagascar 🙂. J'y resterais quelques semaines. Le reste du temps, je le consacrerais à ma passion qui n'est malheureusement pas mon travail 🙁 mais l'écriture.

a Cochez la réponse correcte.

On demande aux personnes de parler :

☐ **1** de leur(s) projet(s).

☐ **2** de leur(s) rêve(s).

b Résumez en la reformulant la réponse de chaque personne.

1 Susie *voudrait visiter des pays où les paysages sont magnifiques*, ...
....
....

2 Tony ....
....

3 Yann ....

4 Lyse ....
....

Vocabulaire

Activités

3 Que font-ils ?

a ....

b ....

Les vacances

4 Complétez les messages avec : *s'installer, mobile-home, traverser, plage du débarquement, partir, visiter*. Faites les transformations nécessaires.

Je vais ....
dans un ....
pendant un mois en Normandie.
J'ai toujours rêvé de ....
les .... !
Ça te dit de venir avec moi ?
Matthieu

Désolé ! Je compte ....
en Italie et ....
ce magnifique pays pendant trois
semaines en camping-car.
Une autre fois peut-être.
Greg

Dossier 3 Voyages
Leçon 14 | Destinations

Grammaire

Le conditionnel présent (rappel)

5 Cochez les réponses correctes.

	Futur	Imparfait	Conditionnel
a Je partais en voyage.	☐	☐	☐
b Je serais riche.	☐	☐	☐
c Nous irons au Vietnam.	☐	☐	☐
d Nous serions heureux.	☐	☐	☐
e Vous pourriez prendre des vacances.	☐	☐	☐
f Je partirai à vingt heures.	☐	☐	☐
g Je serai là.	☐	☐	☐
h Nous irions au bord de la mer.	☐	☐	☐
i Nous écoutions de la musique.	☐	☐	☐
j Vous pouviez voyager.	☐	☐	☐

6 Entourez les 4 verbes irréguliers puis conjuguez-les au conditionnel présent.

être   voyager   partir   prendre   aller

aimer   savoir   faire   demander   acheter

....
....
....
....

L'expression de l'hypothèse

7 Transformez comme dans l'exemple.

Si je suis à l'heure, on ira au cinéma. → *Si j'étais à l'heure, on irait au cinéma.*

a Si tu vas au Cambodge, tu visiteras Angkor.
....

b Si nous gagnons au loto, nous partirons au bout du monde.
....

c Si vous voulez, je pourrai venir avec vous.
....

d S'il a assez d'argent, il fera le tour du monde.
....

e Si j'achète mon billet sur Internet, ce sera moins cher.

....

f Si on prend le train, on arrivera à onze heures.

....

8 Imaginez une conséquence.

a Si les animaux pouvaient parler, ...

b Si les hommes étaient des femmes, ...

c Si les femmes étaient des hommes, ...

d Si Paris était au bord de la mer, ...

e Si je pouvais voler, ...

Communiquer

Pour créer un questionnaire d'enquête

9 Observez les résultats d'une enquête sur les vacances idéales des Français. Imaginez les questions qui ont été posées.

Récapitulatif des vacances réussies

En location
Loin de chez soi
En famille
En voiture
À la mer
En France
Une destination inconnue

Les vacances réussies caractéristiques

10 Répondez aux questions de l'activité 9.

Pour présenter une enquête

11 Écrivez la suite de l'article pour présenter les résultats de l'enquête de l'activité 9.

Si les Français vivaient dans un monde idéal, comment seraient leurs vacances ?

D'après une enquête récente, si ....

Dossier 4 Nouvelles familles

Leçon 16 | En alternance

Vocabulaire

La famille

1 Retrouvez la définition des mots *belle-mère, demi-frère, demi-sœur, beau-père*.

a C'est le fils de mon père et de son épouse (ou bien de ma mère et de son époux). → ....

b Elle est celle qui a épousé notre père et qui n'est pas notre mère. → ....

c Il est celui qui a épousé notre mère et qui n'est pas notre père. → ....

d C'est la fille de mon père et de son épouse (ou bien de ma mère et de son époux). → ....

2 Mettez les mots dans l'ordre pour former des phrases et ajoutez la ponctuation. Puis associez chaque phrase à une photo.

a de – occupes - t'- tes – enfants – toi –tu

.... → Photo n° ......

b m' – je – des – moi – miens – et – occupe

.... → Photo n° ......

3 Trouvez les mots ou les expressions de sens équivalent.

a se charger de… → ....
b un môme → ....
c deux fois par mois → ....
d un papa → ....
e se séparer → ....

f une relation → ....
g se décider → ....
h une mère → ....
i épouser quelqu'un → ....
j recevoir ses enfants → ....

4 Complétez le dialogue entre Alex et Béa avec : *maman, mère, papa, père, un enfant, rapports, une semaine sur deux, prendre des décisions, s'occuper de, se marier* (passé composé), *divorcer* (passé composé).

Alex : O.K. ...., je te rappelle, je suis avec un ami. À plus ! Pff… !
Depuis que mes parents ...., ils m'appellent deux fois plus qu'avant !

Béa : Ah, et comment ça se passe maintenant ? Tu vis chez ta .... ?

Alex : Bah non, parce qu'elle est souvent absente à cause de son travail. Je la vois ...., et seulement le week-end.

Béa : Et ton .... peut .... toi tous les jours ?

Alex : Bien sûr ! Et puis, je ne suis plus .... !

Béa : Ouais… Et ils ont gardé de bons ……………………………… ?

Alex : Ça va. Mais quand il faut ……………………………………, ils ne sont pas toujours d'accord. Ah, un texto…

Attends… « Mon chéri, comment s'est passé ton cours de judo ? Bisous, ……………………………… »

Béa : Bah, tu ne vas pas me croire, mais mes parents, eux, c'est tout le contraire : ils ……………………………… cet été…

5 Classez les mots dans les catégories : *une famille unie, se disputer, avoir des enfants, une famille recomposée, divorcer (le divorce), la vie commune, bien s'entendre, mal s'entendre, être en désaccord, se marier (le mariage), avoir ses enfants en alternance.*

(v) *se marier* /
(n) ………………………
(v) ……………………… (v) ………………………
Vivre ensemble
(n) ……………………… (n) ………………………

(v) ……………………… /
(n) ……………………… (v) ………………………
(v) ………………………
Se séparer (la séparation)
(n) ………………………
(v) ……………………… (v) ………………………

Phonétique

Le « e »

6 Lisez le texte de ce spot publicitaire et soulignez les « e » qu'on peut ne pas prononcer.

> Lui, c'est Théo, mon fils. Il est né de mon premier mariage avec Hélène, ma première femme. Je vous raconte pas ! C'était un sacré mariage ! Là, je l'emmène à la piscine pour ses cours de natation ; il adore nager ! Puis je repars et je vais chercher Eliott et Lucas, mes deux autres enfants… Enfin, je veux dire ceux de ma nouvelle femme. Je passe les prendre et je repars aussitôt chercher Marie, ma petite troisième. Ah, Marie ! C'est ma fille, et celle de ma femme, ma femme actuelle. Je passe la prendre et nous allons récupérer Eliott et Lucas que je viens juste d'oublier. Puis nous repartons chercher Théo, mon fils, et je le ramène à sa maison, qui était aussi la mienne quand je vivais encore avec ma première femme. Ensuite, je passe prendre Tom – je viens tout juste d'apprendre que c'était mon fils ! – Et enfin, on rentre tous à la maison… avant d'aller déposer Arthur, le fils des voisins.
>
> ***Pour les nouvelles familles, rien ne vaut le nouveau Renault Grand Scénic.***

7 Écoutez pour vérifier et répétez.

Dossier 4 Nouvelles familles

Leçon 17 | Familles

Comprendre

Un synopsis

1 Lisez le synopsis du film *Je me suis fait tout petit*. Donnez un maximum d'informations sur les relations familiales des personnages.

Synopsis

Yvan est seul. Sa femme l'a quitté pour vivre en Thaïlande. Depuis la séparation, ses filles, adolescentes, ont choisi de s'installer chez sa sœur Ariane. C'est pourquoi Yvan est prêt à partir de Paris et à refaire sa vie ailleurs… Il rencontre la belle Emmanuelle, qui fait des enfants comme elle tombe amoureuse, et Léo, le petit garçon que sa femme a eu avec un autre et dont il doit s'occuper. Comment tout ce petit monde va-t-il s'entendre ?

▶ Voir la bande annonce

a Yvan : ....
....

b Ariane : ....
....

c Emmanuelle : ....
....

d Léo : ....
....

Un reportage de France Info

2 Écoutez le reportage. Répondez aux questions et cochez les réponses correctes. 🎧 19

a Quel est le sujet du reportage ? ....
b Qui est interviewé ? ....
c Dans quelles circonstances Marie et Kamal se sont-ils rencontrés ?
....
d Combien d'enfants ont-ils ?
  1 Marie avec son premier mari : ....
  2 Kamal avec sa première femme : ....
  3 Marie et Kamal ensemble : ....

e Tout se passe très bien. ☐ Vrai ☐ Faux

Justifiez votre réponse : ....

f Pour Marie, les enfants de Kamal sont comme les siens. ☐ Vrai ☐ Faux

Justifiez votre réponse : ....

g De quoi parlent-ils ? Associez.

Adrien ☐ ☐ Il faut expliquer aux autres qui est qui.

Julie ☐ ☐ Il faut apprendre à se connaître.

Chloé ☐ ☐ Il faut s'organiser.

Nina ☐ ☐ Il faut expliquer aux amis que ce n'est pas aussi simple.

Vocabulaire

La garde partagée

3 Complétez le message avec : *un rythme, la garde alternée, s'installer.*

> Mes parents viennent de se séparer et ils ont choisi .... : je passerai une semaine chez ma mère et une semaine chez mon père. Je ne suis pas sûre que ce soit une bonne idée ! Une semaine, c'est trop court pour vraiment .... chez l'un ou chez l'autre ! Est-ce que quelqu'un a des conseils pour m'aider à bien vivre .... comme celui-là ?

Les relations familiales

4 Barrez l'intrus.

a se séparer – se rencontrer – divorcer

b un beau-père – un grand-père – un demi-frère

c un beau-frère – une belle-mère – une demi-sœur

d rester seul(e) – refaire sa vie – se remarier

5 Donnez une définition de ces expressions.

a la famille biologique → ....

b la famille réelle → ....

c la famille monoparentale → ....

Expressions

6 Associez une photo et une expression.

a ☐

b ☐

☐
1
Avec le temps...

☐
2
Ça fait des histoires !

Dossier 4 — Nouvelles familles
Leçon 17 | Familles

Grammaire

L'expression de la conséquence

7 Barrez les intrus.

si bien que   parce que   avant de   donc   alors   c'est pourquoi   mais   du coup   grâce à   pour   à cause de

8 Soulignez la conséquence et entourez l'expression qui l'introduit.

a. La garde alternée n'est pas un rythme facile pour les enfants et provoque des perturbations.
b. Elle vivait seule mais elle voulait tellement avoir un enfant qu'elle a fini par adopter.
c. Le père de Chloé s'est marié avec Isabelle, si bien qu'Isabelle est la belle-mère de Chloé.
d. La loi sur le mariage pour tous a entraîné de nombreux débats sur la famille.
e. Élise a mal vécu le divorce de ses parents, c'est pourquoi elle a eu des difficultés dans sa scolarité.
f. Ils ne s'entendaient plus, alors ils se sont séparés.

9 Exprimez la conséquence avec les éléments donnés. Variez les expressions pour l'introduire.

J'habite une semaine chez mon père et une semaine chez ma mère. J'oublie toujours des affaires.
→ J'habite une semaine chez mon père et une semaine chez ma mère, c'est pourquoi j'oublie toujours des affaires.

a. Elle travaille beaucoup. Elle ne passe pas beaucoup de temps avec sa famille.
....
b. Ils ne pouvaient pas avoir d'enfant. Ils ont adopté.
....
c. Les parents d'Arnaud se sont séparés. Il a deux maisons.
....
d. Mes parents n'habitent pas dans la même ville. Ils n'ont pas choisi la garde partagée.
....
e. Mes parents sont séparés mais s'entendent très bien. On passe encore Noël tous ensemble.
....

10 Quelles sont les conséquences de ces états dans votre vie ?

a. Je suis en colère, ...
b. Je suis fatigué(e), ...
c. Je suis stressé(e), ...
d. Je suis en vacances, ...

Communiquer

Pour présenter un phénomène social

11 À l'oral, présentez les résultats de cette enquête.

Les enfants dans les familles recomposées

1,5 million d'enfants concernés en 2011

Avec un parent + un beau-parent : 940 000
- 740 000 avec leur **mère**
- 200 000 avec leur **père**

Avec leurs deux parents + des demi-frères / demi-sœurs : 530 000
- 85 % 0-4 ans
- 10 % à partir de 15 ans

Type de familles
- 11 % recomposées
- 18 % monoparentale
- 71 % vivent avec leurs deux parents

Part d'enfants en famille recomposée
- 0-3 ans : 8,1 %
- 4-6 ans : 9,6 %
- 7-10 ans : 11,4 %
- 11-14 ans : 12,7 %
- 15-17 ans : 12 %

Source : Insee

Pour parler de son expérience personnelle

12 Écrivez le témoignage de Tania sur le forum « Famille décomposée – Famille recomposée ».

Forum » Famille décomposée – Famille recomposée

Tania : J'ai 14 ans. Mes parents ont divorcé il y a 2 ans et ……………………………………………………

Dossier 4 Nouvelles familles

Leçon 18 | Solos

Comprendre

Une interview

1 Écoutez l'interview. Répondez aux questions et cochez les réponses correctes. 🎧 20

a Quand est apparu le concept de famille monoparentale ?
....

b Quels sont les deux modèles à l'origine de ce concept ?
....

c Quelle opinion avait-on sur ces deux modèles ?
....
....

d De plus en plus de mères élevaient seules leurs enfants. ☐ Vrai ☐ Faux

e On a commencé à parler de famille monoparentale quand :
  ☐ 1 les mères ont voulu remplacer leur mari.
  ☐ 2 les mères se sont retrouvées seules avec leurs enfants.
  ☐ 3 les mères ont pris le poste de chef de famille.

f Aujourd'hui, selon la loi, quelle est la meilleure solution pour les parents divorcés ?
....

g Que constate-t-on dans la réalité ?
....

Un article

2 Vrai ou faux ? Lisez l'article et cochez les réponses correctes.

Des réseaux d'entraide pour parents solos

Parent séparé, célibataire, veuf… Il existe des sites Internet dédiés aux parents seuls qui permettent d'avoir des informations pratiques, de discuter, de participer à des sorties… Un bon moyen de sortir de l'isolement !

Il y a sept ans, Nathalie Guellier, maman célibataire, lasse de partir en vacances avec sa sœur et sa famille « normale », cherchait des offres spécifiques pour les familles monoparentales. « Aucun site ne proposait de loisirs pour les parents seuls avec enfants, rien n'indiquait non plus comment résoudre les problèmes du quotidien (garde, pension alimentaire…). J'ai donc fondé Parent Solo, un site qui propose des informations et des services aux parents seuls ou veufs. »

Pour rompre leur solitude, beaucoup échangent sur le forum du site. « Régulièrement, je lis des témoignages de parents qui disent "c'est super de se rendre compte que je ne suis pas tout seul". »

Les solos cherchent aussi des solutions pratiques pour faciliter leur quotidien. Via des sites spécialisés, des forums ou simplement des petites annonces, des mamans célibataires proposent ainsi de partager une nounou, entre plusieurs familles, pour réduire les coûts mais aussi permettre à leurs jeunes enfants de se faire des amis.

Le principe s'étend même aux vacances. De plus en plus de parents solos déposent des offres de voyages en commun ou des propositions de colocation. De quoi partager de bons moments et en finir avec sa solitude !

D'après Céline Deval,
http://www.apprentis-auteuil.org, 15 avril 2013.

	V	F
a Des sites Internet sont spécialement créés pour les parents solos.	☐	☐
b Les parents solos ont besoin de conseils pratiques.	☐	☐
c Aucun site Internet ne propose de sorties aux parents solos.	☐	☐
d Le site Parent Solo a pour seul but de régler les problèmes quotidiens.	☐	☐
e Les parents solos cherchent à partager leurs expériences entre eux.	☐	☐
f Les parents solos se sentent souvent seuls dans leur quotidien.	☐	☐
g Des sites spécialisés favorisent l'entraide entre familles monoparentales.	☐	☐
h Grâce à des sites spécialisés, les parents solos peuvent trouver du travail.	☐	☐
i La vie en colocation intéresse les familles monoparentales.	☐	☐

Vocabulaire

La modalisation

3 Complétez la liste des modalisateurs, du plus négatif au plus positif.

.... – peut-être – .... (= plutôt) – certain (= ....) – franchement (= .... = ...) – .... – .... – super

La colocation

4 Complétez le texte avec : *colocataire(s), néo-solidarité, vie en communauté, vivre en colocation.*

Vous ne voulez pas vivre seul(e) ?
Vous aimez la .... ?

Alors .... est la solution idéale ! Vous pourrez partager un grand logement avec votre ou vos ...., qui pourront aussi vous rendre quelques services si besoin.
Profitez de cette ...., inscrivez-vous vite sur notre site !

La psychologie

5 Complétez la grille à l'aide des définitions.

Horizontalement
2 Sentiment de gêne.
5 Fait d'être proche.
6 Originalité.
7 État d'une personne que rien ne gêne.

Verticalement
1 Aide mutuelle.
3 Règle.
4 Aidé.

La monoparentalité

6 Associez.

a une famille ☐
b une mère ☐
c une maman ☐
d élever ses enfants ☐

1 célibataire
2 seul
3 monoparentale
4 solo

Dossier 4 — Nouvelles familles
Leçon 18 | Solos

Grammaire

La modalisation

7 Reformulez comme dans l'exemple.

Trouver le bon colocataire est difficile. (assez / vraiment) → Trouver le bon colocataire est assez difficile.
→ Trouver le bon colocataire est vraiment difficile.

a Vivre seul présente des avantages. (peut-être / réellement)
....
....

b Les parents solos sont courageux. (plutôt / franchement)
....
....

c Les divorces sont fréquents dans les grandes villes. (assez / très)
....
....

d La vie en colocation permet de faire des économies. (peut-être / vraiment)
....
....

8 Transformez comme dans l'exemple.

L'entraide est nécessaire pour vivre dans notre société. C'est évident.
→ L'entraide est réellement nécessaire pour vivre dans notre société.

a La vie de couple attire moins les jeunes. C'est probable.
....

b La colocation est une solution aux problèmes financiers. C'est formidable.
....

c Certaines personnes critiquent les couples qui divorcent. C'est nul.
....

d Les gens divorcent plus facilement de nos jours. C'est certain.
....

e Vivre en colocation est une aventure. C'est super.
....

Communiquer

Pour raconter son expérience

9 Emma, 35 ans, divorcée et mère de Théo, 5 ans, a vécu en colocation pendant 2 ans, avec une autre mère célibataire et son fils. Elle explique pourquoi elle a choisi ce système, raconte son expérience et donne son opinion. Écrivez son témoignage.

Pour faire un test de psychologie

10 En petits groupes, choisissez une situation et complétez le test comme dans l'exemple. Ensuite, en grand groupe, mettez en commun les questions.

Êtes-vous fait(e) pour vivre en colocation, en couple ou seul(e) ?

a *Le samedi soir,*

■ *vous préférez franchement dîner entre amis autour d'une bonne table.*
● *c'est certain, vous dînez en amoureux au restaurant.*
▲ *vous êtes plutôt pour un plateau télé devant un bon film.*

b Votre petit déjeuner idéal,

■ ....
● ....
▲ ....

c Vous rentrez du travail épuisé(e),

■ ....
● ....
▲ ....

d Pour le ménage,

■ ....
● ....
▲ ....

e Pour le Nouvel An, vous étiez invité(e) à une grande fête mais vous êtes malade et devez rester chez vous.

■ ....
● ....
▲ ....

Vous avez une majorité de ■ :
Vive la colocation !

Vous avez une majorité de ● :
Vive la vie en couple !

Vous avez une majorité de ▲ :
Vive la vie en solo !

11 En petits groupes, répondez au test. Puis présentez les résultats à la classe.

Dossier 4 Nouvelles familles

Leçon 19 | Évolution

Comprendre

Un article

1 Remettez l'article dans l'ordre.

Publié le **22 janvier 2014**

La publicité raconte la famille : Quand Renault bouleverse l'image de la famille idéale dans la pub de son nouveau Grand Scénic.

a Aujourd'hui, la notion de famille évolue. Il n'y a plus un seul modèle familial, mais plusieurs. Au-delà de la famille dite traditionnelle (papa, maman et leurs deux enfants), il existe la famille monoparentale, la famille recomposée, la famille homosexuelle…, autant de nouvelles familles qui marquent l'évolution de la société.

b C'est le cas de la marque Renault avec sa publicité pour son Grand Scénic qui met en scène, sur le mode de l'humour, la vie familiale mouvementée d'un père conduisant un à un les enfants de ses différents mariages grâce à sa nouvelle voiture.

c La famille recomposée est donc un véritable phénomène de société aujourd'hui. La publicité se doit de s'adapter à cette évolution pour que le consommateur s'identifie à la marque.

d Néanmoins la famille, sous toutes ses formes, reste une valeur essentielle pour les Français et, d'un point de vue marketing, une cible incontournable. Beaucoup de marques ont intégré ces nouveaux schémas familiaux dans leur communication.

e Renault prend ainsi en compte cette tendance sociologique pour marquer et toucher davantage le consommateur.

1	2	3	4	5
a	……	……	……	……

Un reportage

2 Écoutez le reportage. Cochez les réponses correctes et répondez aux questions. 🎧 21

a Le titre de ce reportage est :

☐ **1** les vacances dans les familles recomposées peuvent être difficiles.

☐ **2** les vacances chez les grands-parents posent problème.

☐ **3** les vacances loin des parents sont bénéfiques.

b Pourquoi les ex-beaux-parents d'Anna sont-ils furieux ?

....

....

c Quel est le problème le plus fréquent dans les familles recomposées ?

....

d La psychanalyste trouve bizarre que les grands-parents ne demandent pas à voir leurs petits-enfants quand ils passent leurs vacances avec leur fils.

☐ Vrai   ☐ Faux

e Les grands-parents ont peur :

☐ **1** que leurs petits-enfants ne les aiment plus.

☐ **2** que le nouveau mari d'Anna dise du mal de leur fils.

☐ **3** que leurs petits-enfants s'éloignent d'eux.

f Claude Halmos propose à Anna :   V   F

1 qu'elle ne discute pas avec les parents de son ex-mari.   ☐   ☐

2 qu'elle parle à son ex-mari.   ☐   ☐

3 qu'elle change ses projets de vacances.   ☐   ☐

4 qu'elle aille avec ses enfants chez les parents de son nouveau mari.   ☐   ☐

5 qu'elle raconte des histoires à ses enfants.   ☐   ☐

Vocabulaire

Les attitudes

3 Thomas et sa sœur Sonia sont très différents. Complétez les phrases puis associez-les aux photos.

1   **2**   **3**

a Thomas prend toujours tout à la légère. Il n'est pas comme sa sœur qui

.... → Photo n° ......

b Sonia a toujours un petit geste pour les autres, mais son frère ne pense

qu'à lui. Il est vraiment .... → Photo n° ......

c Sonia vit avec son compagnon depuis deux ans, mais Thomas vient de

.... sa copine. → Photo n° ......

Les opinions

4 Complétez la grille à l'aide des définitions.

Horizontalement

2 Problème.

3 Norme de conduite, personnelle ou sociale.

5 Partager une idée.

6 Que l'on doit respecter.

Verticalement

1 Désir de bien faire.

4 Pouvoir de décider.

Dossier 4 — Nouvelles familles
Leçon 19 — Évolution

Grammaire

L'expression de l'opinion

5 Associez (plusieurs réponses sont parfois possibles).

a Pour
b Selon moi
c À leur avis
d J'ai l'impression que
e Je crois que
f Je ne crois pas qu'
g Je trouve qu'
h Elle n'est pas sûre que
i Je ne pense pas qu'
j J'ai peur que

1 mon fils ne veuille pas lui parler.
2 on devrait interdire ce genre de publicité.
3 ça va bien se passer.
4 lui, je suis la seule responsable de cette situation.
5 il faille leur dire toute la vérité.
6 on puisse éviter les problèmes dans ce genre de situations.
7 son ex-mari veuille en parler.
8 mon ex-belle-mère ne veut plus me voir.
9 tout est de ma faute et ils me font la tête toute la journée.
10 c'est une bonne chose que la publicité ait pu s'adapter aux nouveaux modèles de la famille.

Les valeurs du subjonctif

6 Entourez la forme correcte du verbe. Puis dites si ces phrases expriment une opinion (O), un doute (D) ou une peur (P).

a J'ai peur que les enfants *sont / soient* les otages de cette situation.
→ ......

b J'ai l'impression que les beaux-parents *ont / aient* de plus en plus leur mot à dire.
→ ......

c Je ne crois pas que l'évolution de la société *va / aille* dans le bon sens.
→ ......

d Je pense que le rôle des deux parents *est / soit* essentiel.
→ ......

e Je ne suis pas sûr que l'image de la famille recomposée *correspond / corresponde* à la réalité.
→ ......

f Je ne pense pas que le divorce *est / soit* une solution.
→ ......

g Je crois que la garde partagée *est / soit* une bonne solution.
→ ......

7 Complétez les phrases.

a Il n'est pas sûr que ses enfants .... (vouloir) habiter avec lui.

b Ils ont peur que leur père .... (ne pas venir) comme promis.

c Elle ne croit pas que son fils .... (être) suffisamment grand pour comprendre.

d Il ne pense pas que son père .... (prendre) sa défense.

e Elles doutent que leurs grands-parents .... (pouvoir) s'occuper d'elles.

Communiquer

Pour présenter une publicité

8 Présentez à vos camarades des publicités de votre pays à travers lesquelles on peut voir l'image de la famille et son évolution.

Pour donner son opinion

9 Par petits groupes, dites ce que vous pensez de l'image de la famille dans cette publicité. Comparez avec des publicités de votre pays.

Dossiers 3 et 4
Bilan

1 Écoutez le dialogue. Choisissez les réponses correctes ou répondez aux questions. 🎧 22

  a Stéphanie et Ingrid se rencontrent près :
- ☐ **1** de la faculté.
- ☐ **2** du Salon du tourisme.
- ☐ **3** de l'appartement de Stéphanie.

  b Que va faire la mère de Stéphanie ?

....

  c Sylvia est la demi-sœur de Stéphanie.   ☐ Vrai   ☐ Faux

  d La mère de Stéphanie a divorcé quand elle a connu Hamid.   ☐ Vrai   ☐ Faux

  e Depuis l'annonce du remariage de sa mère, Léo fait la tête tout le temps.   ☐ Vrai   ☐ Faux

  f Stéphanie pense que sa mère et Hamid :
- ☐ **1** seraient certainement heureux de retourner en Indonésie.
- ☐ **2** aimeraient beaucoup faire un voyage en famille.
- ☐ **3** adoreraient partir en voyage tous les deux.

  g Ingrid est célibataire en ce moment car Bruno est parti six mois au Portugal.   ☐ Vrai   ☐ Faux

2 Stéphanie va déjeuner chez sa mère. Elle aide son frère Léo à écrire un message à un ami qui est désespéré parce que la copine de son père va vivre avec eux. Léo raconte son expérience à son ami pour le rassurer (divorce de ses parents, garde partagée, nouveau beau-père…). Écrivez le message.

Romain Lebrun
4 avril

La copine de mon père va venir s'installer à la maison. Et moi qui pensais que ça allait s'arranger avec maman. Je suis trop triste :(((

J'aime - Commenter - Partager

Écrire un commentaire

....
....
....
....

Publier

3 Le soir, Stéphanie téléphone à sa tante Rachel. Elle lui propose que la famille et les amis offrent un voyage à sa mère et à son beau-père. Rachel avait pensé à autre chose, mais finit par trouver l'idée excellente. À deux, imaginez la conversation qu'elles ont au téléphone.

– Stéphanie : Allô tatie, c'est Stéphanie.

– Rachel : Comment vas-tu ma chérie ?

– Stéphanie : J'ai eu une idée pour le cadeau de mariage de maman.

– Rachel : ....

– Stéphanie : ....

– Rachel : ......
– Stéphanie : ......
– Rachel : ......
– Stéphanie : ......
– Rachel : ......
– Stéphanie : ......
– Rachel : ......
– Stéphanie : ......
– Rachel : Je vais en parler à ton oncle et je te rappelle.
– Stéphanie : Super ! Je t'embrasse.

4 Rachel et son mari Simon écoutent la chronique « Voyage écosolidaire au Vietnam » sur France Info. Dites si les affirmations sont vraies ou fausses.

	V	F
a Rachel et Simon allument la radio pour écouter un programme sur le tourisme vert.	☐	☐
b Florence part au Vietnam surtout pour voir des temples.	☐	☐
c Elle veut pouvoir avoir des contacts avec des gens sur place.	☐	☐
d Florence est ravie des hôtels dans lesquels elle et sa famille sont descendues.	☐	☐
e Pour Rachel et Simon, un séjour dans un club serait une meilleure idée de cadeau.	☐	☐
f Rachel a noté le nom de l'agence et va regarder sur Internet ce qu'ils proposent comme voyages.	☐	☐

5 Rachel et Simon trouvent le site de l'agence sur Internet et regardent un voyage à Madagascar. Remettez dans l'ordre la présentation du voyage.

VISION & THIQUE

Accueil   Destinations lointaines   Éco Week-end en Europe   Dates de depart   Blog

Madagascar, terre solidaire par excellence

Les itinéraires proposés s'emploient à vous offrir une découverte originale du Nord de Madagascar.

a tant sur le plan des routes que sur celui des infrastructures d'accueil.
b et nuits en bivouac,
c L'approche solidaire du monde malgache
d et de varier les moyens de transport
e C'est pourquoi nous avons choisi
f ne va pas sans une certaine rusticité,
g en alternant hébergement en hôtel de bon confort
h et des efforts physiques qu'ils impliquent.
i d'équilibrer les séjours
j en fonction du terrain

1	2	3	4	5	6	7	8	9	10
c	......	......	......	......	......	......	......	......	h

Dossier 5 Un corps parfait

Leçon 21 | Nouvelle alimentation

Vocabulaire

L'alimentation

1 Associez.

a se nourrir
b préparer des aliments
c intégrer un aliment

1 digérer
2 manger
3 cuisiner

2 Barrez l'intrus.

a un produit local – un produit frais – un produit de saison – un produit surgelé

b une alimentation saine – une alimentation grasse – une alimentation équilibrée – une alimentation diversifiée

c un cuisinier – un potager – un restaurateur – un nutritionniste

d être gourmand – aimer la bonne cuisine – faire un régime – bien manger

Liste

3 Complétez le texte du site « Manger nouveau » avec les mots : *manger, cuisiner* **(au présent),** *gourmand, repas, aliments, mode d'alimentation, équilibrée.*

www.mangernouveau.com

manger nouveau

| Manger mieux | Bouger plus | les repères | Le mag |

Et si vous découvriez une nouvelle façon de .... ? Vous n'avez plus d'idées pour vos ...., vous mangez toujours la même chose, vous aimeriez une alimentation .... Découvrez de nouveaux aliments, changez de .... et .... autrement !

« Manger nouveau » facilite votre quotidien ! Nous vous proposons des listes d'........................ . Vous n'avez plus qu'à faire vos courses selon vos envies du moment : régime bio, régime vite et sain, régime végétarien, régime .... … !
Essayez notre programme, vous vous régalerez !

ma liste BIO
- pain complet
- farine
- huile d'oliv...
- tomates
- pommes
- savon
- lava...
- pier...

4 Complétez les listes avec les produits de votre choix.

Ma liste végétarienne
- Pommes
- ....
- ....
- ....
- ....

Ma liste crèmerie
- Lait
- ....
- ....
- ....
- ....

Ma liste gourmande
- Chocolat
- ....
- ....
- ....
- ....

Ma liste locavore
- ....
- ....
- ....
- ....
- ....

La santé

5 Cochez l'expression de sens équivalent.

a avoir des carences en… : ☐ avoir un excès de…   ☐ avoir un manque de…

b perdre du poids :   ☐ maigrir, mincir   ☐ grossir

c avoir un regain de vitalité :   ☐ retrouver de l'énergie, du dynamisme   ☐ avoir moins d'énergie

d se sentir mal :   ☐ faire mal à quelqu'un   ☐ souffrir

6 Cherchez et notez le plus d'expressions possible contenant les mots « mal » et « bien » et exprimant le mal être et le bien être.

Le mal-être : aller mal ; ....

Le bien-être : aller bien ; ....

Phonétique

Les sons [O] et [ɔ]

7 Soulignez les sons [O] et [ɔ] dans les phrases suivantes puis lisez-les.

a L'eau d'Evian® avec laquelle sont faits tous les soins d'hydrothérapie est pauvre en sodium et sans aucune pollution.

b Ouvert toute l'année, c'est aussi un lieu idéal pour retrouver sa vitalité et soigner son organisme en profondeur.

c Séjour sur une semaine ou à la journée : à chacun sa formule pour se « détoxer » et retrouver la forme.

d Si vous le souhaitez, vous pourrez y faire une pause de deux jours pour entretenir la jeunesse de votre corps et vous sentir mieux au quotidien.

e Vous aurez accès au Club Forme et au sauna (hors des heures de cours).

8 Écoutez pour vérifier et répétez. 🎧 24

Dossier 5 Un corps parfait

Leçon 22 | Saga des pubs

Comprendre

Un article

1 Lisez l'article et faites les activités demandées.

> **La campagne evian® Live Young a remporté le 26ᵉ Grand Prix de la publicité presse magazine**
>
> En choisissant evian®, les jurés ont mis en valeur la simplicité d'une idée qui s'appuie avec force, intelligence et élégance sur la jeunesse.
>
> Les annonces montrent des inconnus et une *guest-star*. Tous portent des tee-shirts avec un corps de bébé qui semble être le prolongement de leur visage et font ainsi ressortir leur éternelle jeunesse. En effet, l'idée est de présenter evian®, dans cette campagne mondiale, comme source de jeunesse.
>
> **Trois étapes, trois slogans**
>
> **En 1994**, l'agence avait remporté la compétition avec le slogan *« L'eau que vous buvez est aussi importante que l'air que vous respirez »*. Un slogan plutôt en avance car la sensibilité écologique n'était pas autant partagée qu'aujourd'hui.
>
> evian® est revenu, **en 1998**, à un discours santé historique. À partir de 1998, evian® décline le concept de la jeunesse, qui a donné lieu à la fameuse campagne des bébés nageurs. Le slogan devient alors : *« evian® déclarée source de jeunesse par votre corps »*.
>
> Enfin, **en 2009**, evian®, distribuée dans plus de 150 pays, décide pour la première fois de gérer sa marque de façon mondiale. Le slogan devient alors *« Live Young »* (Vivez Jeune). L'agence réactualise l'élément porteur du plus grand coup de cœur de toute l'histoire de la publicité, à savoir les bébés, ce qui donne lieu au film des *« Rollers Babies »*.

a Quelle image est véhiculée par la marque evian® ? Cochez la réponse correcte.

☐ **1** la force ☐ **2** l'intelligence ☐ **3** l'élégance ☐ **4** la jeunesse

b Pourquoi le bébé est-il un symbole fort pour l'agence ? Répondez.

....

c L'agence a réalisé trois grandes campagnes publicitaires. Complétez le tableau.

	Année	Slogan
Campagne publicitaire **1**	....	
Campagne publicitaire **2**	....	
Campagne publicitaire **3**	....	

texto | Dossier 5 ■ Leçon 22

Une émission de radio

2 Écoutez l'émission. Répondez aux questions et cochez les réponses correctes. 🎧 25

a Combien de litres d'eau circulent chaque jour dans Paris ? ....

b Quelle image la journaliste donne-t-elle pour que les auditeurs se rendent compte de l'énormité de ce chiffre ?
....

c L'eau des fontaines est potable. ☐ Vrai ☐ Faux

d Comment l'eau arrive-t-elle aux portes de Paris ?
....

e D'où vient cette eau ?
....

f L'eau purifiée est ensuite stockée dans un immense réservoir. ☐ Vrai ☐ Faux

Justifiez votre réponse : ....

g À quel type d'architecture la journaliste compare-t-elle ce lieu ?
....

Vocabulaire

L'eau minérale

3 Complétez les phrases avec : *thermalisme* (x2), *conditionnée en bouteilles*, *source(s)* (x4), *station(s) thermale(s)* (x2). (Faites les accords si nécessaire.)

a Trois types d'eau peuvent être conditionnés : l'eau minérale naturelle, l'eau de ....

et l'eau rendue potable par traitements.

b Dans ce guide touristique pour le .... en France, on présente la ....

de Dax qui est connue pour sa fameuse .... d'eau chaude à 64 °C.

c Le .... a utilisé un certain nombre de .... dites « ....

de vie », pour leurs propriétés thérapeutiques, et progressivement l'eau de ces .... a été

....

Le marketing

4 Complétez le texte avec : *spot(s) publicitaire(s), slogan, se positionner, marché, tendance*.

evian® : le marketing comme élixir de jeunesse !

Live young, vivons jeunes ! C'est peut-être la marque evian® elle-même qui, le mieux, applique son ....
.... À près de 100 ans, la marque evian® n'a jamais été aussi créative et innovante qu'aujourd'hui. Depuis une quinzaine d'années, cette marque s'est imposée grâce à ses ....
originaux. Fin des années quatre-vingt-dix, le .... de l'eau connaît un vrai bouleversement :
le secteur des eaux en bouteille voit arriver une nouvelle catégorie de boissons : les eaux de source, qui sont moins chères pour les consommateurs. evian® doit donc justifier la différence de prix. Si la marque n'est pas en perte de vitesse, elle se doit tout de même de réagir vite pour continuer à .... sur la santé, qui fait son succès. Si, en 2008, la marque était en décroissance de presque moins 10 %, en 2010, evian® a renoué avec une croissance de plus d'1,5 %. Et la .... semble se renforcer depuis.

Dossier 5 **Un corps parfait**
Leçon 22 **Saga des pubs**

| Grammaire

Le passé simple des verbes en *-er*

5 Associez.

a Je   1 arriva de bonne heure et s'installa à table.
b Tu   2 passèrent une excellente soirée.
c Il   3 changeâtes d'avis et décidâtes de rester.
d Nous   4 quittas définitivement la station thermale.
e Vous   5 parlâmes toute la nuit de ses problèmes de santé.
f Ils   6 trouvai une source d'eau chaude dans la montagne.

6 Conjuguez les verbes entre parenthèses au passé simple.

À la fin de la guerre de Sécession à laquelle il *(participer)* ...., John Pemberton était pharmacien à Columbus en Géorgie. En 1870, il *(s'installer)* .... à Atlanta. Vétéran de la guerre de Sécession, John Pemberton *(contracter)* .... une addiction à la morphine pour calmer ses douleurs. Il *(inventer)* .... la première recette ancêtre du Coca-Cola, le French Wine Coca, en 1885. On dit que Pemberton *(s'inspirer)* .... de la recette du vin Mariani, un mélange de vin de Bordeaux et de feuille de coca créé par le chimiste Angelo Mariani en 1863. La vente du French Wine Coca *(continuer)* .... jusqu'à la mort de Pemberton en 1888.

L'expression de la durée

7 Complétez le texte avec : *cela fait... que, en* (x5)*, peu à peu, entre... et...*

.... 1882, Louis Lefèvre-Utile racheta la société de ses parents et décida d'industrialiser la production. Il s'installa sur les quais, au bord de la Loire. .... 1886, il créa le célèbre Petit-Beurre et .... 1887, il fonda la société LU.

.... 1939 .... 1945, l'usine se consacra à la fabrication de ces biscuits distribués dans les écoles et de pains de guerre destinés aux prisonniers.

.... 1951, Patrick Lefèvre-Utile lança la première ligne de fabrication en continu de la société.

.... 1968, six fabricants fusionnèrent et créèrent le groupe LU-Brun & Associés. Patrick Lefèvre-Utile devint le président, mais ses autres collaborateurs n'apprécièrent pas sa politique et la marque LU sortit .... de la famille Lefèvre-Utile.

.... maintenant deux ans .... la marque LU est la propriété d'une multinationale américaine.

Communiquer

Pour présenter un produit

8 Présentez oralement à la classe une eau de votre pays (la source, les bienfaits, la bouteille...).

Pour donner son avis (sur un produit)

9 Choisissez une publicité pour un produit et présentez-la à la classe en expliquant pourquoi vous l'appréciez ou non.

Pour défendre son choix

10 Par groupes de 3 ou 4, mettez-vous d'accord pour sélectionner la photo que vous préférez pour illustrer une campagne publicitaire pour de l'eau. Expliquez votre choix à la classe.

Dossier 5 Un corps parfait

Leçon 23 | À la plage

Comprendre

Un reportage

1 Écoutez le reportage et faites les activités demandées.

   a Cochez la réponse correcte.

   Deux tiers des Français sont partis au bord de la mer en un an.   ☐ Vrai   ☐ Faux

   Justifiez votre réponse : ....

   b Complétez.

   Les Français préfèrent une plage .... et ....

   c Citez les 3 raisons pour lesquelles les Français aiment la plage.

   ....
   ....
   ....

   d Répondez : quelles sont les activités préférées des Français à la plage ?

   ....
   ....

Un article

2 Lisez l'article et faites les activités demandées.

> **BRONZER MOINS BÊTE**
>
> # Pourquoi la plage et pas la montagne ?
>
> **ÇA S'EXPLIQUE** – Ce n'est pas parce qu'on est en vacances qu'il faut mettre son cerveau sur pause. Sociologue et directeur de recherches au CNRS, Jean Viard répond à la question :
> « Pourquoi les Français privilégient la plage à la montagne ? »
>
> Alors, plage ou montagne ? Manifestement, les Français sont peu à hésiter. « En été, on a besoin de soleil, d'eau, de découvrir son corps, et de partir en famille, en bande », analyse le sociologue Jean Viard.
> Mais où vont-ils ces vacanciers ? « En général, ils partent sur le littoral, le plus près de chez eux. Et beaucoup en camping. Il n'y a finalement que les Parisiens qui vont un peu partout », poursuit Jean Viard.
>
> **De l'histoire ancienne**
> Et si les séjours à la mer ont autant de succès, cela peut s'expliquer par une histoire plus ancienne que celle des vacances à la montagne. « Les séjours sur le littoral ont été lancés au XIXe siècle par les rentiers. Ils ont commencé autour de la mer du Nord et sont descendus petit à petit pour arriver notamment vers Deauville/Trouville, puis les Anglais ont investi la Côte d'Azur. Les vacances à la plage se sont démocratisées après la guerre de 1940. Tout cet imaginaire de la mer a été inventé par ces aristocrates », explique le spécialiste.
>
> **La nature apprivoisée**
> « Les rentiers ont apprivoisé la nature dans un but ludique. Avant, les plages servaient essentiellement de salles de bains. Elles sont devenues des terrains de jeu. »
> L'arrivée des différentes plages urbaines (Toulouse Plage, Rouen-sur-Mer, Paris Plages, Clermont-Ferrand Sable Show…) n'a fait que consolider la préférence des Français pour les étendues de sable au bord de l'eau. « Ce qui montre bien qu'on n'a pas besoin de la mer. N'oublions pas qu'en France, il y a quand même plus d'un million de piscines privées », ajoute le sociologue.

a Répondez aux questions.

1 Qui a été interviewé pour cet article ?

....

2 D'après cette personne, pourquoi les Français préfèrent-ils la mer à la montagne en été ?

....

....

3 Quelle différence constate-t-il entre les Parisiens et le reste des Français ?

....

....

b Cochez la réponse correcte.

Les vacances à la mer on été lancées par le peuple au XIXe siècle.   ☐ Vrai   ☐ Faux

Justifiez votre réponse : ....

c Placez sur la carte :

1 les lieux où les vacances à la plage ont commencé ;

2 les villes où il existe des plages urbaines.

Vocabulaire

La plage

3 Décrivez la photo en utilisant le maximum de vocabulaire.

....

....

....

....

Le corps et l'activité physique

4 Retrouvez les mots à partir des indications.

a le contraire de vieillir → ....

b qui redonne de la vitalité → ....

c éliminer des calories → ....

d hormone qui donne une sensation de bien-être → ....

e la décontraction → ....

f se déplacer dans l'eau → ....

Dossier 5 — Un corps parfait
Leçon 23 — À la plage

Grammaire

La forme passive

5 Entendez-vous le passif ou non ? Écoutez et cochez les réponses correctes. 🎧 27

	Oui	Non			Oui	Non
a	☐	☐		e	☐	☐
b	☐	☐		f	☐	☐
c	☐	☐		g	☐	☐
d	☐	☐		h	☐	☐

6 Transformez à la forme passive quand c'est possible.

a Le soleil inonde la ville.
....

b Tous les journaux ont parlé de cet endroit.
....

c Clara aimera sûrement Roger.
....

d On a volé la Joconde cette nuit.
....

e Il faut que tout le monde apprécie cette plage.
....

f On croit au changement.
....

7 Conjuguez les verbes entre parenthèses à la forme active ou passive, aux temps qui conviennent.

PANIQUE À LA PLAGE !

Quelle n'a pas été la surprise des vacanciers ce week-end sur une plage de Bretagne de voir s'échouer… un requin !
En effet, ces animaux *(préférer)* .... en général les eaux chaudes et tropicales. Les spécialistes *(intriguer)* .... par cet événement, d'autant qu'un requin de la même espèce *(déjà retrouver)* .... sur une plage de la Manche en 2012.

Le requin *(autopsier)* .... hier, mais les causes de sa mort *(ne pas identifier)* .... Peut-être que l'animal *(tuer)* .... accidentellement par des pêcheurs ? Un appel à témoin *(lancer)* .... pour connaître le lieu de capture.

L'accord du participe passé

8 Conjuguez les verbes entre parenthèses au passé composé ou au plus-que-parfait. Faites l'accord du participe passé si nécessaire.

a Katia *(arriver)* .... à la plage à dix heures. Elle *(se baigner)* .... puis *(prendre)* .... un bain de soleil. À midi, elle *(plier)* .... sa serviette et elle l' *(ranger)* .... dans son sac. Elle *(sortir)* .... ses lunettes de soleil, elle les *(mettre)* .... sur sa tête, puis elle *(partir)* .... travailler.

b Luc *(rentrer)* .... chez lui très tard. Il *(manger)* .... rapidement une pizza qu'il *(acheter)* .... au coin de la rue. Puis il *(retirer)* .... ses chaussures et les *(glisser)* .... sous le canapé. Il *(s'allonger)* .... et *(s'endormir)* ....

c Katia et Luc *(se rencontrer)* .... dans une salle de sport. Ils *(s'aimer)* .... tout de suite. Katia *(donner)* .... son numéro de téléphone à Luc qui l' *(noter)* .... sur un papier. Il l' *(appeler)* .... le soir même et l' *(inviter)* .... au restaurant. Ils *(se fréquenter)* .... pendant six mois et un beau jour Luc l' *(demander)* .... en mariage. Ils *(se marier)* .... le week-end dernier. Toutes les personnes qu'ils *(inviter)* .... *(venir)* ....

Communiquer

Pour raconter une rencontre

9 Regardez la photo : imaginez la rencontre qui a mené à ce dîner. Présentez votre version à la classe.

Pour écrire un article sociologique

10 Faites des recherches sur les habitudes de vacances et leur histoire dans votre pays. Puis écrivez un article à la manière de celui de l'activité 2 (p. 70).

Dossier 5 Un corps parfait

Leçon 24 # Le bikini

Comprendre

Un article

1 Associez les éléments pour reconstituer les paragraphes de l'article. Puis donnez un titre à chaque paragraphe, comme dans l'exemple.

- Le béret dans l'armée
- Le chic parisien
- Un accessoire féminin
- La couleur du béret
- ~~Les origines du béret~~
- Se protéger contre le mauvais temps

Les origines du béret

a C'est au Moyen Âge, dans le Béarn, région du Sud-Ouest de la France, qu'apparaissent les premiers bérets...

b Le béret fut très répandu au XVIIe siècle parce qu'il était très utile pour se protéger du froid et de la pluie...

c Au XIXe siècle, les femmes commencèrent à s'intéresser à lui : elles le garnirent de soie...

d Sa couleur va varier selon les époques et la valeur symbolique qu'on va vouloir lui donner...

e Dans les années trente, grâce à Coco Chanel qui introduisit le béret dans ses collections, il devint un élément indispensable de la mode féminine...

f Dans la deuxième moitié du XXe siècle, de grands couturiers utiliseront régulièrement le béret dans leurs collections...

1 ... Mais tricoté par les bergers avec de la laine de mouton, il sentait l'animal et rétrécissait à la première pluie.

2 ... et des vedettes de cinéma de l'époque le portèrent avec élégance.

3 ... Mais à partir du XXe siècle, la couleur la plus courante est le noir.

4 ... et il deviendra le symbole de la Parisienne élégante.

5 ... Dès cette époque, les bergers béarnais portaient des bérets, comme le montrent des sculptures de l'époque.

6 ... À partir de ce moment-là, les militaires adoptèrent le béret parce qu'il était chaud, imperméable et très résistant.

Une chronique

2 Écoutez la chronique et complétez les notes.

La minijupe

Créée en .... par ....

Dans l'objectif de ....

La création de ce vêtement est une révolution car ....

Ce vêtement symbolise à cette époque ....

Il arrive en France en .... grâce à un grand ....

Selon Coco Chanel, ce vêtement ....

Aux Pays-Bas, ce vêtement est .... parce que

....

Mais à la fin des années ...., ce vêtement ....

....

Vocabulaire

Se montrer

3 Complétez avec les verbes *se dévêtir, s'exhiber, s'imposer, retrousser* et *se vêtir* (conjuguez-les si nécessaire).

– Maman, regarde ce minishort, j'ai envie de l'essayer…

– Pardon ? Tu ne penses pas sérieusement .... dans cette tenue !

– Mais maman, cet été, le minishort .... partout, c'est la mode !

– Je regrette, mais la mode, ce n'est pas de .... à l'extrême ! Au contraire, c'est savoir .... Et puis, commence par .... les manches de tes pulls, on ne voit plus tes mains !

La mode

4 Complétez avec : *bikini, maillot de bain, une-pièce, deux-pièces, tenue, création(s), lingerie*.

La nouvelle collection de LAURA PERLE

Si vous ne savez pas encore quelle .... de plage adopter cet été, alors optez pour un .... signé Laura Perle ! Cette jeune styliste en .... propose des .... colorées qui vous séduiront toutes. Pour celles qui veulent cacher leur ventre mais rester sexy, il y a le .... décolleté ; pour les autres, il y a le .... ou, plus minimaliste, le ....

Dossier 5 — Un corps parfait
Leçon 24 — Le bikini

Grammaire

Les temps du récit (2)

5 Complétez le texte en conjuguant les verbes aux temps indiqués.

Au début du XIXe siècle, les militaires britanniques de la Marine situés sur l'archipel des Bermudes se plaignent *(imparfait)* .... de la chaleur des lieux avec leur uniforme. Ils obtiennent *(passé simple)* .... le droit de raccourcir leur pantalon au-dessus du genou. Mais pour conserver un caractère formel, l'uniforme doit *(imparfait)* .... se composer de chaussettes montantes, d'une cravate et d'une veste. La tenue devient *(futur)* .... au cours du XXe siècle un élément du costume national.

En dehors des militaires sous les tropiques, jusqu'aux années soixante, on permet *(imparfait)* .... de porter le bermuda seulement aux enfants, aux jeunes et aux sportifs. L'assouplissement des codes vestimentaires après la guerre rend *(futur)* .... le port de ce vêtement par un adulte plus commun. Considéré comme un vêtement de détente, on l'interdit encore souvent au travail…

6 Conjuguez les verbes soulignés au passé simple ou à l'imparfait, comme dans l'exemple.

À l'origine, les collants <u>sont</u> *étaient* portés par les hommes au XIIe siècle. La fonction première du collant <u>est</u> .... de tenir chaud. Comme toute mode, l'usage du collant <u>évolue</u> ...., et il <u>sert</u> .... peu à peu à mettre en valeur les jambes de ceux qui le <u>portent</u> ...., en leur donnant une allure sportive. Au XXe siècle, la société <u>permet</u> .... aux femmes de montrer leurs jambes. Au début, seules les femmes les plus riches <u>ont</u> .... des bas en soie. Mais l'invention du nylon dans les années trente <u>fait</u> .... baisser le prix des bas et ils <u>peuvent</u> .... se répandre. Ils <u>sont</u> .... très à la mode, mais pas encore très pratiques car pas du tout élastiques. Pendant la Seconde Guerre mondiale, la production du nylon pour bas <u>recule</u> .... mais elle <u>repart</u> .... après la guerre et certaines améliorations <u>voient</u> .... le jour : la cheville et les orteils renforcés. Cependant, les collants <u>se font</u> .... encore rares jusqu'aux années soixante où, grâce à la minijupe de Mary Quant, le collant <u>devient</u> .... un accessoire incontournable, moderne et féminin.

Quelques marqueurs temporels

7 Entourez les mots corrects.

a *Dans / Dès / En* l'époque romaine, les hommes ont cherché à protéger leurs yeux du soleil.

b La minijupe a été inventée *il y a / à partir de / en* 50 ans.

c Le jean fut inventé *jusqu'en / en / à partir de* 1873.

d Les collants en nylon se sont répandus *depuis / jusqu'aux / dans* les années trente.

e Il faut attendre *à partir des / jusqu'aux / aux* années soixante pour que le bikini s'impose sur les plages.

f *Les / Des / Aux* années cinquante à nos jours, la mode du maillot de bain a vraiment évolué.

g Les femmes ont commencé à porter les cheveux courts *dès / à partir / depuis* des années vingt.

h 1971 : *depuis / cette année-là / c'est à cette occasion que*, le monde de la mode perd une grande dame, Coco Chanel.

i *Au / En / il y a* XXIe siècle, on parle de vêtements connectés.

Communiquer

Pour faire le récit d'une invention

8 À partir des informations suivantes, écrivez une phrase pour raconter chaque étape de l'histoire des converses. Utilisez le passé simple, l'imparfait, le présent et le futur simple.

> **1908 :** invention d'une chaussure à semelle en caoutchouc par le marquis Mills Converse, aux États-Unis.
>
> **1917 :** lancement de la Converse All Star, chaussure de basket.
>
> **Début des années vingt :** promotion des chaussures Converse aux États-Unis par le basketteur Chuck Taylor.
>
> **Seconde Guerre mondiale :** production de chaussures Converse pour l'armée.
>
> **1966 :** déclinaison de la chaussure Converse en couleurs.
>
> **Années soixante et soixante-dix :** succès de la chaussure Converse chez les stars du cinéma et du rock.
>
> **Fin des années soixante-dix :** très forte concurrence d'autres marques célèbres de chaussures de sport.
>
> **Années quatre-vingt-dix :** la chaussure Converse, un accessoire de mode basique.
>
> **2003 :** difficultés financières de l'entreprise Converse et rachat par Nike.
>
> **Aujourd'hui :** grand succès dans le monde entier.

9 Pour un magazine de mode, vous devez raconter l'histoire de l'imperméable. Cherchez des informations sur Internet et écrivez un article.

La petite histoire de l'imperméable

Dossier 6 Êtes-vous *geek* ?

Leçon 26 | Vers le futur

Vocabulaire

Les objets

1 Complétez le texte du magazine avec : *lunettes, station météo, téléphone portable, système de sécurité, bracelet, balance, réfrigérateur, smartphone, montre, lave-linge, vêtements, voiture.*

Les objets connectés s'occupent de tout !

Dans ma chambre

Quand le réveil sonne, je déclenche la cafetière grâce à mon .... J'ouvre les volets de la maison sans me lever, grâce au wifi. Pour pouvoir choisir mes .... , je vérifie le temps qu'il fait sur ma .... Il fait beau : je vais pouvoir mettre mes nouvelles .... intelligentes, et aller courir. Je n'oublie pas mon .... podomètre...

Dans la cuisine

Je prépare mon petit-déjeuner et mon .... me prévient s'il n'y a plus de lait, de beurre ou de yaourts !

Dans la salle de bain

La lumière s'allume automatiquement et je me pèse sur ma .... connectée... Oups, j'ai pris un kilo depuis la semaine dernière ! Je prépare aussi le linge sale que je mets dans mon .... connecté, intelligent et écologique.

En voiture

Avant de quitter la maison, j'active le .... : l'alarme et les caméras de surveillance. Quand je démarre ma ...., le dispositif de navigation se met en marche et me conduit au bureau en évitant les embouteillages.
Je reçois un appel sur mon ...., je ne réponds pas quand je conduis : ma .... connectée vibre pour me signaler que je viens de le rater.

Le monde virtuel

2 Associez une fonction à ces objets : *une fourchette connectée, une montre connectée, un réfrigérateur intelligent, une caméra de surveillance, un bracelet connecté.*

a Elle vérifie ce qu'il se passe dans un lieu (privé ou public). → ....

b Elle vous alerte si vous mangez trop vite. → ....

c Il compte le nombre de pas que vous faites chaque jour, il enregistre vos performances sportives.

→ ....

d Il passe une commande automatiquement sur le site d'un supermarché quand il est vide.

→ ....

e Elle vous indique qui vous téléphone, elle vous informe quand vous recevez un sms ou de vos rendez-vous.

→ ....

3 Expliquez le fonctionnement de chaque objet en utilisant les mots : *informer, détecter, alerter, analyser, enregistrer.*

a Une station météo → ....

b Un détecteur de fumée → ....

c Un pèse-personne connecté → ....

d Un capteur de mouvements → ....

Phonétique
Les nasales [ɔ̃], [ɑ̃] et [ɛ̃] – Dénasalisation

4 Barrez l'intrus et justifiez.

a maison – comparaison – personnalité – émission – définition → ....

b entrée – caméra – chambre – septembre – pourcentage → ....

c téléphone – connexion – commentaire – personnalité – donnée → ....

d simple – impact – imprimer – informer – impossible → ....

5 Écoutez les phrases et écrivez-les. 🎧 29

a ....
b ....
c ....
d ....
e ....

6 Vérifiez l'orthographe puis lisez les phrases à voix haute.

Dossier 6 Êtes-vous *geek* ?

Leçon 27 | Robots et compagnie

Comprendre

Une interview

1 Associez les questions et les réponses. Puis résumez en une phrase l'idée principale de chaque paragraphe.

À l'occasion de la sortie de son livre, Rémy Oudghiri répond à quelques questions.

- La déconnexion est-elle une idée nouvelle ?
- Pourquoi le thème de la déconnexion est-il devenu de plus en plus présent ?
- Comment est née l'idée de votre livre ?
- Pourquoi est-il important de se déconnecter ?

a ....
Après avoir observé des technophiles. Les premiers à avoir adopté avec enthousiasme les smartphones ont aussi été les premiers à en découvrir le caractère addictif. Tout en étant toujours aussi positifs sur les smartphones, ils commençaient à s'interroger sur les limites à apporter à leur usage.

b ....
Depuis 2011, il se vend plus de tablettes et de smartphones que d'ordinateurs. Nous vivons à l'âge de l'Internet mobile. On se connecte tout le temps, en tous lieux, dans toutes les positions.

c ....
Pour ceux qui travaillent, les études sont de plus en plus nombreuses à montrer que ceux qui prennent le temps de se déconnecter sont plus créatifs ou plus efficaces que ceux qui restent connectés en permanence. Dans la sphère privée, le principal avantage de la déconnexion, c'est de prendre du temps avec les autres : ses proches, sa famille, ses amis.

d ....
En fait, l'éloge de la déconnexion est très ancien. Dans l'Antiquité, Sénèque vantait les vertus de l'*otium*, une forme de solitude à travers les livres qui permettait à l'homme d'action d'avoir une meilleure vision de ses affaires.

Idée principale de chaque paragraphe :

a ....
....

b ....
....

c ....
....

d ....
....

texto | Dossier 6 ■ Leçon 27

Une chronique

2 Écoutez la chronique et faites les activités demandées.

a Cochez la réponse correcte.

La chronique parle : ☐ **1** d'appareils électroménagers connectés.
☐ **2** de nouveaux appareils électroménagers.
☐ **3** d'appareils électroménagers futuristes.

b Répondez aux questions.

1 Qu'est-ce qui facilite l'installation et l'utilisation de ces appareils ?

....

2 Le journaliste parle de deux appareils. Lesquels ? Donnez une caractéristique pour chaque appareil.

....

....

3 Pourquoi ces appareils sont-ils peu développés ?

....

4 D'après le créateur de la société Nest, que pourra faire la maison du futur ? Comment ?

....

....

c Donnez 3 synonymes de « domotique » employés dans la chronique.

....

Vocabulaire

Les robots

3 Complétez les articles avec : *diffusée, domotique, humanoïdes, piloter, programmer, progrès, robotique, virtuelle.*

a Rendez-vous au salon de la .... de Nîmes les 22 et 23 novembre et découvrez les .... réalisés pour l'équipement de la maison. .... la température de sa maison été comme hiver, surveiller une pièce à distance ou profiter de la musique .... par son ordinateur dans toutes les pièces, tout cela est bien réel…

b Si vous êtes passionnés par les robots, alors visitez le salon Innorobo à Lyon. C'est le plus grand salon européen dédié à la .... Cette année, les robots .... ont fait sensation, mais les vraies stars sont les robots de téléprésence qu'on peut .... à distance pour assurer une présence ....

L'état psychologique

4 Complétez les phrases avec : *moment de paix, tranquillité, serein.*

a Pour la .... de tous, veuillez éteindre vos téléphones portables.

b Être ...., c'est possible grâce à la méditation.

c Je voudrais un .... pour me reposer.

Le temps

5 Complétez les phrases avec : *décennie, dizaine d'années, dix ans.*

a Dans cinq ou ...., le smartphone appartiendra au passé.

b La prochaine .... sera celle de la connectivité.

c Une .... suffira pour que tout le monde ait un objet connecté.

Dossier 6 — Êtes-vous *geek* ?
Leçon 27 | Robots et compagnie

Grammaire

L'expression du futur

6 Mettez les phrases au futur.

a La maison du futur est connectée et autonome.
....

b Nous avons des appareils électroménagers connectés entre eux.
....

c Vous n'entretenez plus votre maison : un robot aide-ménager remplit cette tâche.
....

d Un système de sécurité très sophistiqué te prévient des dangers.
....

e Tu reçois des informations sur ta santé grâce à des capteurs biologiques.
....

f Nous ne devons plus nous préoccuper de régler la température de la maison.
....

Le futur antérieur

7 Conjuguez les verbes entre parenthèses au futur antérieur.

a Quand j' *(trouver)* .... la maison de mes rêves…
b Quand tu *(changer)* .... de travail…   … alors nous déménagerons.
c Quand le temps *(venir)* .... …

d Quand nous *(se mettre)* .... d'accord…
e Quand vous *(accepter)* .... nos propositions…   … alors le marché sera conclu.
f Quand les conditions *(être)* .... réunies…

8 Imaginez des phrases au futur antérieur et au futur simple avec les éléments proposés, comme dans l'exemple.

les robots se développent / on ne perd plus de temps à faire le ménage
→ *Quand les robots se seront développés, on ne perdra plus de temps à faire le ménage.*

a les écrans envahissent notre univers / nous ne savons plus parler aux gens
....

b nous finissons les travaux / la maison plaît à tout le monde
....

c mon patron m'augmente / je t'offre une montre connectée
....

d je décide d'acheter une maison / je cherche quelque chose de très moderne
....

e les caméras de surveillance sont installées / tu te sens plus en sécurité
....

Communiquer

Pour parler de faits futurs

9 Vous avez lu les informations sur le séjour Digital Detox (manuel p. 97). Écrivez un e-mail à un(e) ami(e) pour le (la) convaincre de vous accompagner. Précisez les activités que vous ferez et insistez sur les bienfaits que vous ressentirez.

De :
À :
Objet : Séjour Digital Detox

10 À deux, regardez le visuel ci-dessous et réfléchissez à des innovations en domotique. Puis écrivez un article sur le blog du site mamaison.com pour décrire les installations qu'on trouvera dans la maison du futur.

mamaison.com

Vous êtes dans la chambre

ACCUEIL — CHAMBRE — CUISINE — SALON — SALLE DE BAIN — JARDIN

1. Optimiser le chauffage
2. Surveiller un enfant à distance
3. Ouvrir / fermer automatiquement
4. Sécuriser les déplacement nocturnes
5. Détecter les incendies
6. Allumer / éteindre les éclairages

Pour donner son opinion

11 Les progrès en robotique et domotique vous inquiètent-ils ? Pourquoi ? Listez vos arguments, présentez et défendez votre opinion en petits groupes. Vous pouvez vous aider de ces mots-clés.

- gain de temps
- confort
- mobilité
- économie d'énergie
- liberté
- pouvoir
- dépendance
- contrainte
- surveillance
- hyperconnexion
- perte de lien social

Dossier 6 Êtes-vous *geek* ?

Leçon 28 | Objets connectés

Comprendre

Un dossier

1 Lisez le dossier et complétez le tableau.

Objets connectés pour les personnes âgées

Les objets connectés sont aujourd'hui au service des personnes âgées.
Différents équipements pour personnes âgées existent.

IMedipac, MedSecure, ces boîtes à pilules connectées sont des objets très pratiques pour ceux qui ont du mal à prendre leur traitement au bon moment. En effet, les petits compartiments de ces boîtes s'allument quand il est l'heure, pour l'utilisateur, de prendre son médicament. Et en cas d'oubli, le pilulier envoie une alerte à ses proches ou à son médecin.

Parlons maintenant des pendentifs connectés **Amulyte** et **Framboise**. Ces bijoux sont destinés à alerter quelqu'un lorsqu'un incident arrive. Pour cela, il suffit d'appuyer sur le bouton situé au centre du pendentif ; une alerte est ainsi envoyée à la famille de l'utilisateur ou à son médecin.

Les instituts allemands ont créé un fauteuil roulant connecté. Il suffit de brancher un téléphone sur le fauteuil et vous voilà avec un smartphone comme télécommande. Il sera possible d'effectuer les actions de base d'un téléphone (appeler, envoyer des e-mails ou des SMS), mais aussi de consulter le niveau de batterie ou même de chercher des lieux avec rampes d'accès et autres installations pour handicapés.

New generation cane est une canne connectée conçue par la firme japonaise Futjitsu. L'objet est équipé de capteurs qui permettent de surveiller la santé de l'utilisateur. Lors d'une promenade, l'écran intégré permet d'afficher les directions à suivre. L'utilisateur ne peut alors plus se perdre. Et si ce dernier montre des signes de fatigue, la canne lui indique l'endroit le plus proche où se reposer. L'entreprise a conçu cette canne en y intégrant également un GPS afin de transmettre la localisation de l'usager à ses proches.

	Objet connecté	Nom de l'objet	Créé par	Fonctionnalités
a	....	....		– ....
b	....	....	....	– des capteurs permettent de surveiller la santé de l'utilisateur. – .... – ....
c	....	IMedipac, MedSecure	....	– .... – ....
d	fauteuil roulant connecté		....	– ....

Vocabulaire

Les objets connectés

2 Associez ces objets connectés à leur définition.

a le pèse-personne
b le thermostat
c la brosse à dents
d le bracelet
e la montre
f le localisateur GPS

1 Pour prendre soin de ses dents efficacement et rendre le moment du brossage agréable et plus efficace.
2 Pour mesurer son activité physique et analyser son sommeil.
3 Pour savoir à distance où se trouve son animal de compagnie.
4 Pour contrôler son chauffage à distance et faire des économies d'énergie.
5 Pour suivre précisément et régulièrement sa courbe de poids.
6 Pour avoir accès directement sur son poignet à ses e-mails et à la météo.

3 Écrivez les légendes de ces objets et classez-les dans le tableau.

a ....
b ....
c ....
d ....
e ....
f ....

Les objets du quotidien réinventés	Les objets nouveaux	Les objets improbables
....	....	....
....	....	....
....	....	....

Dossier 6 — Êtes-vous *geek* ?
Leçon 28 — Objets connectés

Grammaire

Les pronoms personnels compléments

4 Complétez les réponses en utilisant les pronoms *en* ou *y*.

a – Tu as pu redémarrer ton iPad ?
– Non je n'................ suis pas arrivé malheureusement. J'ai dû m'................ séparer.

b – Ta femme aimait beaucoup son vieux téléphone.
– Oui, c'était un cadeau de son père. Elle .... était très attachée.

c – Il va vraiment partir travailler dans la Silicon Valley ?
– Oui, on .... a parlé longuement. Il .... pense sérieusement.

d – Tu n'as pas envie de t'acheter une montre connectée ?
– Oh, vu mes finances, je n'................ pense pas pour le moment. Et puis, si j'................ réfléchis bien, je n' .... ai pas vraiment besoin.

e – Tu as acheté ce frigo connecté dans le magasin d'à côté ?
– Oui, j'................ suis allée hier. J'................ rêvais depuis longtemps.

f – Qu'est-ce que je peux faire d'autre avec ce bracelet ?
– Tu peux t'................ servir comme podomètre.

Les pronoms relatifs composés

5 Associez.

a C'est une montre
b Vous recevrez des notifications des réseaux sociaux
c Il y a toutes sortes de raisons
d Cette société française a lancé un boîtier
e LG vient de commercialiser en Corée du Sud une ligne d'appareils ménagers
f Ce réfrigérateur a un écran tactile

1 pour lesquelles choisir cette marque.
2 sur lesquels il est possible de chatter.
3 à l'aide duquel on peut améliorer la qualité de l'air de nos intérieurs.
4 grâce à laquelle vous aurez accès à toutes sortes d'informations.
5 grâce auquel il est possible d'afficher des recettes de cuisine.
6 sur lesquels vous êtes actif.

6 Réécrivez les phrases en utilisant un pronom relatif composé.

a Grâce à cette application, un clavier virtuel tactile apparaît sur les montres connectées.
C'est une application ....

b Avec ce bracelet, vous pourrez suivre vos performances sportives.
C'est un bracelet ....

c À l'aide de ces lunettes high-tech, vous pouvez prendre des photos et envoyer des SMS.
Voici des lunettes high-tech ....

d Dans l'avenir, vous ne pourrez plus rien faire sans votre téléphone. Vous ne le quitterez plus.
Dans l'avenir, vous ne quitterez plus votre téléphone ....
....

texto | Dossier 6 ■ Leçon 28

e Ces serrures connectées sont destinées au grand public. Vous ne risquez pas de coincer votre clé dedans.

Ce sont des serrures connectées ....

....

Communiquer

Pour débattre sur l'utilité des objets connectés

7 Les objets connectés envahissent notre quotidien. Êtes-vous pour ou contre ? Réagissez sur notre forum.

Forum » Les objets connectés au quotidien

Pour décrire des objets

8 Il existe des objets connectés pour animaux. En petits groupes, choisissez l'animal (chien, chat…) et l'objet (collier, laisse, gamelle…), puis décrivez-le en utilisant des pronoms relatifs composés. Chaque groupe présente ensuite son objet à la classe.

le collier   la laisse   la gamelle

Pour donner son avis

9 En petits groupes, dites ce que vous pensez de ces objets connectés. Donnez votre avis.

Vos œufs connectés ! Egg Minder, le boîtier à œuf connecté pour nous aider à mieux consommer.

Finie la nourriture périmée oubliée au fond du réfrigérateur : les réfrigérateurs intelligents éviteront le gâchis !

Grâce au Smart Baby Monitor, il est possible de surveiller votre bébé endormi directement depuis votre smartphone.

Whirpool présente Cook Top, la table de cuisson interactive connectée aux autres appareils de la maison comme le frigo.

Dossier 6 Êtes-vous *geek* ?

Leçon 29 | Flagship Fnac

Comprendre

Une chronique

1 Écoutez la chronique et répondez aux questions. 🎧 31

  a Quel genre de chronique propose Cécile Lefébure ? Et quel est son style ?
  ....

  b Quel est le profil de la personne à qui s'adresse Cécile Lefébure ?
  ....
  ....

  c Quels objets utilise cette personne ?
  ....

  d Qui a déjà débarqué ?
  ....
  ....

  e Quel est le premier objet que la personne aperçoit ?
  ....

  f Quel(s) objet(s) utilise chaque personne ?
   1 La voisine : ....
   2 Le voisin : ....
   3 Le skater : ....

Une publicité

2 Lisez la publicité et répondez aux questions.

AKO Aurora H20 — la première liseuse haut de gamme étanche

AKO Aurora H20 est la première liseuse de qualité conçue pour résister à l'eau. Vous pouvez donc l'emmener pour lire à la plage, au bord de la piscine ou dans votre bain. Si vous faites tomber votre liseuse dans l'eau ou que vous renversez votre café dessus, elle continuera de fonctionner comme si elle était neuve !
Elle a un écran tactile antireflets innovant de 6,8 pouces qui offre le même confort de lecture qu'un livre papier, même à la lumière du soleil.
Avec son éclairage entièrement réglable, la lumière est diffusée sur la page et non vers vos yeux, ce qui évite la fatigue de jour comme de nuit.
Avec la liseuse AKO Aurora H20, vous pouvez emporter 3000 livres partout avec vous.

---

  a À quoi sert cet objet ? ....
  b Quelle est sa principale qualité ? ....

c Grâce à cette qualité, où peut-on l'utiliser ?

....

d Que se passe-t-il si cet objet est en contact avec du liquide ?

....

e Quelles sont ses autres qualités ? Et que permettent-elles ?

....

....

Vocabulaire

Les produits high-tech et le commerce

3 Complétez le texte avec : *coque de téléphone, accéder à, en libre-service, innovant, démonstrateur, tendance, dédié à, prendre en main.* Faites les transformations nécessaires.

AHA Notre magasin, entièrement .... nouvelles technologies, vous propose d'............................ .... produits les plus .... proposés ...., afin que vous puissiez les .... et les découvrir. Des .... hautement qualifiés seront là pour vous guider. Dans notre rayon Accessoires, vous serez séduit par nos .... colorées et ....

4 Trouvez les mots qui correspondent aux définitions dans la grille.

a Un magasin phare.
b Qui permet de s'amuser.
c Une chose nouvellement introduite.
d Fixer des paramètres.
e Un avertissement.
f Un appareil destiné à capter.
g Qui se fait en même temps.

S	Y	N	C	H	R	O	N	I	S	E	H
A	V	Y	A	U	F	G	O	F	Y	I	A
P	H	Q	P	T	L	B	T	N	N	N	L
A	U	U	T	S	A	T	I	O	C	N	L
R	T	A	E	N	G	A	F	P	D	O	U
A	Z	M	U	T	S	P	I	A	U	V	D
M	O	J	R	O	H	T	C	R	J	A	I
E	M	O	G	I	I	E	A	A	Z	T	Q
T	D	V	A	R	P	L	T	G	A	I	U
R	I	L	D	N	L	U	I	V	V	O	E
E	H	K	X	U	I	F	O	R	C	N	F
R	F	R	O	Q	W	I	N	E	I	R	E

Les plantes

5 Écrivez le mot qui correspond à chaque dessin.

a .... **b** .... **c** .... **d** ....

Dossier 6 — Êtes-vous *geek* ?
Leçon 29 | Flagship Fnac

Grammaire

La place de l'adjectif

6 Associez.

- a belle
- b grand
- c français
- d deux
- e joli
- f bleu
- g nouveau
- h petit
- i premier
- j vieux

- l'esthétique
- la taille
- la nationalité
- un chiffre / l'âge
- la couleur

- se place avant le nom
- se place après le nom

7 Corrigez les phrases quand c'est nécessaire.

a Cette télévision a un écran grand. ....
b C'est un innovant concept. ....
c Il y a un petit magasin à côté de chez moi. ....
d Il a une coque de téléphone belle. ....
e C'est un vieux téléphone. ....
f Cette montre jolie a un GPS. ....
g Tu me montres ta tablette nouvelle. ....
h Je cherche une tablette avec un écran tactile et étanche. ....
....

8 Expliquez les phrases suivantes.

a 1 C'est une ville ancienne. ....
  2 C'est une ancienne ville. ....
b 1 C'est un homme grand. ....
  2 C'est un grand homme. ....

La place des doubles pronoms

9 Remplacez les noms par des pronoms.

a Il achète une tablette à sa fille. ....
b Donne ce téléphone à Chloé. ....
c Je donne du travail à mes étudiants. ....
d Nous avons vu les robots dans ce magasin. ....
e Plantez les fleurs dans le pot. ....
f Vous trouvez l'application sur le site. ....
g Elle a écrit le SMS à sa copine. ....
h Offrez la liseuse à votre père. ....

Communiquer

Pour imaginer un magasin innovant

10 Imaginez le concept d'un supermarché innovant.
Écrivez le communiqué de presse pour le présenter.

COMMUNIQUÉ DE PRESSE

Pour décrire des produits high-tech

11 Vous voulez offrir une liseuse à un(e) ami(e). Vous allez dans un magasin où un(e) vendeur (vendeuse) vous propose la liseuse AKO Aurora H20 (activité 2 p. 88). Imaginez le dialogue.

12 Quel est l'objet le plus high-tech que vous possédez ? Présentez-le.

Dossiers 5 et 6 — Bilan

1 Écoutez le dialogue. Cochez les réponses correctes et répondez aux questions. 🎧 32

  a Émilie est :

    ☐ **1** en forme.   ☐ **2** fatiguée.   ☐ **3** malade.

  b Pour être en forme, Laëtitia :

    ☐ **1** boit beaucoup d'eau.   ☐ **2** mange peu.   ☐ **3** court tous les jours.

  c Que fait Laëtitia après la course ? Pourquoi ?

  ....

  d Selon Laëtitia, quels sont les avantages de son application ?

    ☐ **1** Mieux s'occuper de sa santé.

    ☐ **2** Tout connaître de son corps.

    ☐ **3** Mesurer ses progrès.

    ☐ **4** Battre des records.

    ☐ **5** Se motiver pour faire du sport.

    ☐ **6** Enregistrer son parcours.

  e Que pense Émilie des objets connectés ?

  ....

  f Laëtitia cherche à convaincre Émilie que les objets connectés :

    ☐ **1** sont indispensables.

    ☐ **2** s'utilisent facilement.

    ☐ **3** peuvent être utiles.

2 Pour réaliser la publicité sur le bracelet connecté, Laëtitia s'est d'abord renseignée sur l'évolution des technologies. Lisez ses notes et réécrivez-les sous forme de récit.

1837 : naissance de la télégraphie électrique.

1876 : invention du téléphone par le Britannique Alexander Graham Bell.

1970 : mise au point des fibres optiques par trois scientifiques américains.

1982 : lancement du Minitel en France et grand succès auprès de la population.

1984 : installation de la 1re cabine téléphonique fonctionnant avec une carte à puce.

1986 : apparition du 1er téléphone de voiture en France.

1992 : envoi du 1er SMS par un ingénieur anglais.

1996 : lancement d'Internet pour le grand public, en France.

1997 : commercialisation du 1er téléphone mobile grand public en France.

2002 : présentation du 1er smartphone, issu de la collaboration entre Orange et Microsoft.

2003 : lancement du Wi-Fi.

2005 : invention du 1er objet connecté, le lapin Nabaztag, par le Français Rafi Haladjian.

2014 : explosion des objets connectés (80 milliards en 2020).

3 Laëtitia a écrit le texte publicitaire pour le bracelet connecté. Retrouvez la fin de chaque phrase pour reconstituer le texte dans son intégralité.

Restez en mouvement avec Fitbit Flex !

a Fitbit Flex est un bracelet fin et élégant…
b Véritable coach électronique personnel, …
c Fixez-vous un objectif et…
d Synchronisez vos données et…

Maîtrisez la qualité de votre sommeil avec Fitbit Flex !

e Fitbit Flex ne fait pas de pause, …
f Gardez-le avec vous toute la nuit…
g et consultez le tableau de bord…
h Fitbit Flex est également équipé d'une alarme silencieuse…
i Fitbit Flex est votre compagnon idéal. Portez-le fièrement jour et nuit, confortablement fixé à votre poignet et…

1 … même lorsque vous dormez.
2 … suivez votre progression grâce aux LED de votre Fitbit Flex.
3 … il vous suivra partout… au bureau comme sur la plage !
4 … pour qu'il analyse vos cycles de sommeil
5 … sur lequel vous retrouverez toutes les données concernant la durée et la qualité de votre sommeil.
6 … ce petit appareil mesure le nombre de pas que vous effectuez dans la journée, les distances parcourues et les calories brûlées.
7 … grâce à laquelle vous pouvez vous réveiller au moment souhaité, sans déranger votre conjoint ! C'est magique !
8 … accédez à tout moment à vos statistiques depuis votre ordinateur ou votre smartphone.
9 … qui vous motivera pour sortir et être plus actif.

4 Quelques jours après sa conversation avec Émilie, Laëtitia écoute une chronique à la radio et envoie le podcast à son amie. Écoutez et faites les activités demandées.

a Indiquez dans quel ordre vous entendez ces informations.

1 Les objets connectés sont utiles dans le domaine du bien-être. → n°..........
2 Les objets connectés ne remplacent pas le médecin. → n°..........
3 Les objets connectés permettent de prendre différentes mesures. → n°..........
4 Les objets connectés sont très nombreux dans le domaine de la santé. → n°..........
5 Les objets connectés servent à surveiller la santé au quotidien. → n°..........

b Répondez aux questions.

1 Pourquoi les objets connectés sont-ils nombreux dans le domaine de la santé ?
....
2 Où retrouve-t-on les informations enregistrées par le pèse-personne connecté ?
....
3 Quel est le rôle du médecin ?
....
4 Dans le domaine du bien-être, que peut-on surveiller ? (2 réponses)
....
5 Quels sont les objets cités pour le bien-être ?
....

5 Après réflexion, Émilie va à la Fnac pour se renseigner sur les bracelets connectés et en acheter un. Imaginez le dialogue entre Émilie et le vendeur.

Dossier 7 Croyances

Leçon 31 | Superstitions

Vocabulaire

La religion et les habitudes de vie

1 Classez les mots dans les catégories : *une église, l'islam, un pratiquant, le catholicisme, une cathédrale, un juif, le bouddhisme, un croyant, un chrétien, une synagogue, un temple, un musulman, une mosquée, le judaïsme.*

Religion	Personne	Lieu de culte

La nature et les objets

2 Identifiez chaque photo puis classez-les dans le tableau.

a ....

b ....

c ....

d ....

e ....

Porte-bonheur

Porte-malheur

3 Faites des recherches pour expliquer l'origine de ces superstitions. Puis présentez vos découvertes à la classe.

4 Retrouvez à quel objet ou animal sont associées ces superstitions.

  a En croiser un noir tôt le matin est de mauvais augure pour toute la journée. → ....

  b L'ouvrir à l'intérieur de la maison porte malheur. → ....

  c On ne doit pas prononcer son nom sur un bateau. → ....

  d Quand on en trouve un, on le cloue au-dessus de la porte pour porter bonheur. → ....

Les mouvements

5 Associez une image à un mot : *à l'envers, évoluer, renversé, inclure.*

a ....
b ....
c ....
d ....

Le savoir et la religion

6 Complétez les phrases avec les mots : *découvrir, une révélation, pratiquer, explorer, ignorer, pratiquante, les coutumes, religions.* Les verbes peuvent être conjugués (à l'imparfait).

Interview

JOURNALISTE : – Pierre, êtes-vous croyant ?

PIERRE : – Non, je ne le suis plus. J'ai eu .... à l'âge de 20 ans !

JOURNALISTE : – Ah bon ? Pouvez-vous nous expliquer ?

PIERRE : – Oui ! J'ai grandi dans une famille très .... Enfants, nous étions tous baptisés et suivions une éducation chrétienne. Nous n'avions pas le choix, et j'.............................. l'existence d'autres .... Au lycée, mon meilleur ami était musulman. J'allais souvent chez lui et je ne savais pas toujours comment me comporter, je ne connaissais pas .... familiales. Cela m'a motivé à .... sa religion : il me prêtait des livres que j'.............................. de la première à la dernière page. Un jour, je me suis demandé : « Pourquoi célébrer un dieu plutôt qu'un autre ? » J'ai arrêté de .... la religion chrétienne, et je n'ai toujours pas de réponse à ma question !

Phonétique

Les sons [j] et [ʒ]

7 Écoutez. Combien de fois entendez-vous les sons [j] (comme dans *feuille*) et [ʒ] (comme dans *jeu*) ?

	a	b	c	d	e	f
[j] comme dans *feuille*	....	....	....	....	....	....
[ʒ] comme dans *jeu*	....	....	....	....	....	....

8 Écoutez encore une fois. Écrivez les syllabes qui manquent puis lisez les phrases à voix haute.

a Il .... des supersti............ qui ont des ori........nes reli............ses.

b .... ne crois pas qu'il .... un s............ numéro treize dans cet av................ .

c .... n'est pas aussi supersti........se que sa ....ne sœur.

d ....nnick ne vo............ ....mais sans sa patte de lapin.

e H............r, on était vendredi treize. ....rôme a acheté un b............ de loto.

f Contre le mauvais sort, tu dois ....ter une cu............rée de sel aux quatre coins de la p............ce.

Dossier 7 Croyances

Leçon 32 | Croyances populaires

Comprendre

Une conversation

1 Écoutez la conversation entre Cristina et Elodie et répondez aux questions.

   a Pourquoi des millions de personnes vont-elles jouer à des jeux de hasard ?
   ....

   b Quelle somme est-il possible de gagner ?
   ....

   c Un couple de Girondins a beaucoup de chance : pourquoi ?
   ....

   d Que propose Elodie à Cristina ?
   ....

   e Pourquoi Cristina dit-elle à Elodie qu'elle est superstitieuse ?
   ....

Un article

2 Vrai ou faux ? Lisez l'article et cochez les réponses correctes. Justifiez vos réponses.

Dans la longue liste des petits gestes de superstition que l'on fait pour éloigner le mauvais sort ou faire en sorte qu'un souhait se réalise, il y a celui de toucher du bois. C'est à cela que se sont intéressés des chercheurs de l'université de Chicago. Ils nous expliquent pourquoi ça marche de toucher du bois. Ce serait un moyen de se rassurer soi-même, en ne chassant pas tant le mauvais sort en lui-même que la peur de ce qui pourrait advenir.

Ce n'est pas nouveau : c'est le concept des « prophéties auto-réalisatrices » développé par le sociologue Robert Merton en 1949. Le plus de l'étude américaine, c'est de dire qu'un petit geste peut vous donner l'impression d'éliminer la malchance. Mais attention, tous les rituels n'ont pas la même efficacité, comme l'explique l'une des auteurs du rapport :

> « Nos conclusions montrent que toutes les actions pour chasser le mauvais sort ne sont pas toutes efficaces. Nous avons remarqué que toutes les actions qui induisent un geste de rejet sont spécialement efficaces pour réduire les conséquences négatives d'un mauvais sort. »

Donc, selon leurs observations, que vous touchiez du bois, jetiez une balle ou votre manteau, peu importe, l'essentiel est d'effectuer un mouvement de rejet, parce que, psychologiquement, vous créez « *le sentiment que le mauvais œil a été éloigné* », ajoute la chercheuse. Et vous avez l'esprit plus léger.

Conclusion : continuez de toucher du bois, si ça ne fait pas de bien, au moins cela ne peut pas faire de mal.

Maïlys Masimbert

	V	F
a Des scientifiques américains étudient l'origine des superstitions.	☐	☐

Justification : ....

b Pour eux, toucher du bois est efficace pour lutter contre le mauvais sort. ☐ ☐

Justification : ....

c L'auteure de l'article est superstitieuse. ☐ ☐

Justification : ....

d Jeter une balle ou son manteau est aussi efficace que de toucher du bois. ☐ ☐

Justification : ....

e La conclusion de l'article est que ça ne fait ni du bien ni du mal de toucher du bois. ☐ ☐

Justification : ....

Vocabulaire

Les actions

3 Complétez les phrases avec : *renverser, tuer, trinquer, éloigner, cligner de l'œil, ramasser, jeter, maladresse.* **(Conjuguez les verbes si nécessaire.)**

a Quand on ...., on doit se regarder dans les yeux.

b On dit que pour .... les mauvais esprits, il faut porter du rouge.

c Pour qu'un mariage soit heureux, il faut .... du riz sur les mariés.

d Les superstitions liées au sel viendraient de la .... de Judas qui en aurait .... lors du dernier repas pris avec Jésus et ses disciples.

e En Afrique, on ne .... pas une pièce de monnaie trouvée à un carrefour.

f Déménager une ruche un vendredi .... les abeilles qui l'habitent.

g Si on .... droit, un événement heureux va arriver dans les prochains jours.

Les objets

4 Trouvez le point commun entre les photos puis entourez celle qui est associée à une superstition.

a

1   2   3

→ ....

b

1   2   3

→ ....

Dossier 7 **Croyances**

Leçon 32 | Croyances populaires

Grammaire

Les indéfinis

5 Classez ces adjectifs et pronoms indéfinis dans le tableau : *quelque chose, rien, chacun / chacune, d'autre(s), certain(s) / certaine(s), quelqu'un, chaque, aucun(s) / aucune(s), quelques, personne.*

Seulement pour des personnes	Seulement pour des objets	Pour des personnes et / ou des objets

6 Entourez le pronom indéfini de lieu qui convient.

a Il ne part jamais *n'importe où / partout / quelque part* sans emporter son gri-gri avec lui.

b On peut se voir ici ou *partout / ailleurs / quelque part*, c'est comme tu veux.

c On trouve des superstitions *ailleurs / partout / quelque part* dans le monde.

d Tu ne devrais pas mettre ta clé *n'importe où / partout / quelque part*.

Communiquer

Pour parler de soi

7 Êtes-vous superstitieux / superstitieuse ? Avez-vous un gri-gri ? Quelque chose de spécial vous est-il arrivé un vendredi treize ? Venez témoigner sur notre forum.

Forum

Et vous ?

texto | Dossier 7 ■ Leçon 32

Pour parler de superstitions

8 En vous aidant d'Internet, retrouvez les neuf superstitions en rapport avec les photos. Remplissez le tableau puis ajoutez quelques superstitions de votre pays.

a

b

c

d

e

f

g

h

Porte-bonheur	Porte-malheur
....	a : renverser une salière sur une table.
....	....
....	....
....	....
....	....

9 Que signifient ces gestes pour vous ? Existent-ils dans votre pays ? En connaissez-vous d'autres ? Répondez oralement à ces questions en petits groupes.

Dossier 7 Croyances

Leçon 33 | Nouvelles croyances

Comprendre

Un article

1 Lisez l'article et répondez aux questions.

MICHAEL JACKSON VA-T-IL DEVENIR UNE NOUVELLE RELIGION ?

De Roi de la pop, Michael Jackson va-t-il devenir un nouveau dieu ? Les fans français du chanteur, disparu le 25 juin 2009, « veulent créer une église pour vénérer la mémoire de la pop star » [...]. Pour cela, l'association française des fans de Michael Jackson, la « Jackson Community » située à Montargis dans le Loiret, va déposer mardi de nouveaux statuts pour se transformer en association cultuelle.

Loi 1905

La démarche est très simple. Toute association peut se transformer en association cultuelle. Il lui suffit de se déclarer comme telle à la préfecture, conformément à la loi de séparation de l'Église et de l'État du 9 décembre 1905.

Concrètement, il s'agit d'associations à but non lucratif, comme le prévoit la loi de 1901, soumises à certaines limitations : elles n'ont pour but que le culte et ne peuvent donc exercer une autre activité [...].

« Beaucoup de fans le vénèrent comme un dieu »

« On veut simplement permettre aux fans d'avoir des endroits pour célébrer un culte, une chapelle pour Michael, a expliqué la présidente de l'association, Myriam Walter [...]. On n'est pas du tout une secte, on est simplement une association qui cherche à être au plus près de Michael. C'est une idole. Beaucoup de fans le vénèrent comme un dieu. »

Une façon de rendre hommage à la star et d'approcher son tombeau, à Los Angeles : la crypte est fermée aux particuliers mais ouverte aux églises. En créant la sienne, l'association – qui compte 150 membres – espère bien franchir la porte du cimetière. [...]

Sandrine Cochard, *20 minutes*, 12/10/2010

a Que veulent créer les fans français de Michael Jackson ?

....

b Quel en sera le statut et comment l'association peut-elle l'obtenir ?

....

c Quelle sera son activité ?

....

d Quels seront ses objectifs ?

....
....
....

Des réactions à un article

2 Pour ou contre ? Écoutez des personnes réagir à l'article « Michael Jackson va-t-il devenir une nouvelle religion ? » et cochez les réponses correctes. 🎧 36

	a	b	c	d	e	f
Pour	☐	☐	☐	☐	☐	☐
Contre	☐	☐	☐	☐	☐	☐

Vocabulaire

Les croyances

3 Associez chaque mot à deux définitions.

1 Image sainte souvent peinte sur un panneau de bois.
2 Être surnaturel. Objet de déférence d'une religion.
3 Qui est de l'ordre de l'esprit pour la philosophie ou de l'âme pour la religion.

a idole
b icône
c Dieu
d spirituel
e communier
f adoration

4 Star adorée du public.
5 Personne qui a un talent exceptionnel dans un domaine particulier.
6 Être en union spirituelle ou affective avec d'autres personnes, partager un sentiment.
7 Qui est plein d'esprit, drôle, fin.
8 Représentation d'une divinité.
9 Figure emblématique qui a une signification symbolique pour un large groupe culturel.
10 Amour passionné pour une personne ou une chose.
11 Recevoir le sacrement de l'Eucharistie.
12 Culte rendu à un dieu.

Les objets religieux

4 Identifiez ces objets.

a .... b .... c ....

Les sentiments

5 Trouvez les sentiments qui correspondent aux définitions.

a Assurance de l'exactitude de quelque chose. → la ☐☐☐☐☐☐☐☐☐
b Souffrance qui vient de l'absence. → le ☐☐☐☐☐☐☐
c Estime, considération. → l'☐☐☐☐☐☐☐☐
d Perception fausse. → l'☐☐☐☐☐☐☐☐
e Incertitude. → le ☐☐☐☐☐
f Attribuer la perfection à une chose ou une personne. → l'☐☐☐☐☐☐☐☐☐☐☐☐
g Sentiment de sécurité. → la ☐☐☐☐☐☐☐☐

Dossier 7 Croyances
Leçon 33 Nouvelles croyances

Grammaire

Les adverbes

6 Soulignez les adverbes puis cochez les réponses correctes.

	Adverbe de lieu	Adverbe de temps	Adverbe de manière
a Nous allons souvent à l'église.	☐	☐	☐
b C'est un article vachement intéressant.	☐	☐	☐
c On trouve des superstitions partout dans le monde.	☐	☐	☐
d Autrefois j'avais la foi, mais je ne l'ai plus.	☐	☐	☐
e C'est incontestablement une église et non une secte.	☐	☐	☐
f Il sera toujours dans nos cœurs.	☐	☐	☐
g Elle regarde dehors pour le voir partir.	☐	☐	☐
h J'ai vraiment envie d'y croire.	☐	☐	☐

7 Mettez les mots dans l'ordre pour former des phrases. Ajoutez les majuscules et la ponctuation.

a a – croyante – été – elle – très – toujours

....

b ces – sont – absolument – superstitions – ridicules – toutes

....

c sans – ne – téléphone – peut – aujourd'hui – vivre – portable – on – plus

....

d a – le – sauver – vraiment – voulu – il – monde

....

e absolument – c' – un – génial – est – objet

....

f aller – à – partout – lui – peux – grâce – je

....

8 Transformez les adjectifs en adverbes.

a absolu   → ....
b extrême → ....
c faux   → ....
d évident → ....
e franc   → ....
f puissant → ....

g joli   → ....
h savant   → ....
i vif   → ....
j intelligent → ....
k carré   → ....
l doux   → ....

texto | Dossier 7 ■ Leçon 33

Communiquer

Pour réagir à un article

9 Écrivez au courrier des lecteurs de *20 minutes* pour réagir à l'article « Michael Jackson va-t-il devenir une nouvelle religion ? » (activité 1 p. 100).

………

Pour commenter une citation

10 Choisissez une citation et commentez-la.

Une société d'athées inventerait aussitôt une religion.
(Honoré de Balzac)

Un peu de philosophie écarte de la religion et beaucoup y ramène.
(Rivarol)

Il n'y a point de religion sans mystères.
(François-René de Chateaubriand)

Si Dieu n'existait pas, il faudrait l'inventer.
(Voltaire)

Je suis athée, Dieu merci !
(Marc-Gilbert Sauvajon)

Dossier 7 Croyances

Leçon 34 | Religions

Comprendre

Une chronique

1 Écoutez la chronique. Cochez la réponse correcte et répondez aux questions.

a Le document parle :
- ☐ **1** de la destruction du patrimoine religieux.
- ☐ **2** de la vente du patrimoine religieux.
- ☐ **3** de l'entretien du patrimoine religieux.

b Où voit-on ce phénomène ? Citez trois pays.
....

c Quels édifices religieux sont concernés ?
....

d Pourquoi assiste-t-on à ce phénomène ? Donnez deux raisons.
....
....

e À Montréal, que font les associations caritatives ?
....
....

f Pourquoi les promoteurs immobiliers s'intéressent-ils au sujet ?
....
....

g Comment évolue le phénomène en France ?
....

Vocabulaire

Les lieux de culte

2 Indiquez le nom de chaque lieu de culte puis associez chaque lieu à sa définition.

a .... b .... c .... d ....

texto | Dossier 7 ■ Leçon 34

e .... f .... g .... h ....

1 Lieu de culte où se rassemblent les juifs. → *e*
2 Ensemble de bâtiments où habite une communauté religieuse. → ......
3 Lieu de culte où se rassemblent notamment les bouddhistes. → ......
4 Élément architectural d'une église en forme de tour et qui abrite une ou plusieurs cloches. → ......
5 Lieu de culte où se rassemblent les musulmans pour la prière du vendredi. → ......
6 Petite église. → ......
7 Lieu de culte des catholiques présent dans les villages comme dans les grandes villes. → ......
8 Très grande église qu'on trouve dans certaines villes. → ......

La religion / La vie spirituelle

3 Complétez la grille à l'aide des définitions.

Verticalement
1 Il célèbre Noël dans un temple.
4 Il célèbre le Yom Kippour.

Horizontalement
2 Il célèbre le Vesak.
3 Il célèbre le Ramadan.
5 Il célèbre Noël dans une église.

4 Complétez les phrases avec : *doute, méditation, prières, scepticisme, spiritualité*.
a Petit, j'allais dans une école religieuse et je récitais des .... tous les matins.
b Nous n'avons pas le plus petit .... sur sa culpabilité : tout l'accuse !
c La .... apparaît quand on s'interroge véritablement sur le sens de sa vie.
d Avec l'âge, il se méfie de plus en plus des opinions reçues, son .... augmente.
e Pour obtenir une certaine zénitude, il pratique la .... quotidiennement.

Dossier 7 Croyances
Leçon 34 Religions

Grammaire

La nominalisation

5 Complétez les tableaux avec les noms construits à partir des verbes ou des adjectifs selon les cas. Précisez le genre des noms.

Verbes	Noms
a nettoyer	....
b agir	....
c cultiver	....
d construire	....
e apparaître	....
f contredire	....
g sonder	....
h commencer	....

Adjectifs	Noms
i certain	....
j croissant	....
k divers	....
l ennuyeux	....
m doux	....
n bon	....
o extrême	....
p curieux	....

6 Transformez les informations suivantes en titres de journaux, comme dans l'exemple.

La transformation des églises divise l'opinion publique.
→ *Division de l'opinion publique sur la transformation des églises.*

a L'église Saint-Benoît a changé de nom et de fonction.
....

b Un centre culturel a été créé dans le 2ᵉ arrondissement.
....

c Deux stars internationales se sont mariées dans le plus grand secret.
....

d Le maire est certain du succès de son projet.
....

e Les négociations entre les deux pays ont échoué.
....

Le conditionnel passé

7 Reproche ou regret ? Écoutez et cochez les réponses correctes. 🎧 38

	a	b	c	d	e	f	g	h
Reproche	☑	☐	☐	☐	☐	☐	☐	☐
Regret	☐	☐	☐	☐	☐	☐	☐	☐

texto | Dossier 7 ■ Leçon 34

8 Reformulez les phrases pour exprimer les regrets de ces personnes, comme dans l'exemple.

Elle n'a pas suivi de cours de religion ; elle n'a reçu aucune culture religieuse.
→ *Elle aurait aimé / voulu suivre des cours de religion ; elle aurait reçu une culture religieuse.*

a Il n'est pas devenu prêtre ; il n'a pas célébré la messe dans l'église de son village.
....
b Ils n'ont pas vu le film ; ils ne comprennent pas de quoi on parle.
....
c On ne nous a pas demandé notre avis sur la construction de l'église ; nous n'avons pas pu nous exprimer.
....
d Je n'ai pas fêté Noël en famille ; je suis resté seul.
....
e Tu ne t'es pas inscrit à l'excursion ; tu n'as pas visité le Mont-Saint-Michel et son abbaye.
....

| Communiquer

Pour exprimer un regret

9 Une église de votre ville a été transformée en discothèque. Le journal local publie l'avis de trois habitants : ils ont des opinions différentes, mais chacun exprime un regret. Imaginez les trois témoignages.

> Après un an de travaux, l'église Saint-Benoît a rouvert ses portes samedi dernier… Mais on ne s'y rend plus pour prier et on ne parle plus de l'église Saint-Benoît : désormais, on danse, on boit, on fait la fête au Beny Club.

Jean-Pierre, 50 ans   Simone, 85 ans   Timothée, 20 ans

Pour parler des fêtes religieuses

10 Les fêtes religieuses sont-elles importantes pour vous ? Que signifient-elles pour vous ? Échangez en petits groupes.

Dossier 8 — Les Français
Leçon 36 — Intégration

Vocabulaire

Le civisme

1 Retrouvez dans la grille les mots correspondants aux définitions.

a Temps pendant lequel on reste dans un lieu, un pays : ....

b Engagement entre plusieurs personnes : ....

c Action d'accueillir : ....

d Gouvernement où le peuple exerce son autorité : ....

e Synonyme d' « assimilation » : ....

f Personne profitant des droits civils et politiques de son pays : ....

g Adjectif qui se rapporte à une société : ....

h Adjectif relatif au citoyen, à ses droits et à ses devoirs, à son rôle dans la vie politique : ....

i Qui est neutre par rapport à la religion : ....

A	D	I	U	A	C	C	U	E	I	L
C	E	N	X	D	O	I	U	Y	A	L
I	M	T	Q	N	N	V	R	T	S	A
T	O	E	P	N	T	I	H	S	E	I
O	C	G	P	F	R	Q	S	L	J	Q
Y	R	R	A	T	A	U	Z	S	O	U
E	A	A	Y	Ç	T	E	A	P	U	E
N	T	T	B	I	Z	Z	N	H	R	M
N	I	I	S	O	C	I	A	L	C	G
S	E	O	W	O	G	B	E	T	N	V
B	T	N	X	D	Y	M	W	M	S	S

2 Barrez l'intrus et justifiez votre réponse.

a un visa – un titre de séjour – un passeport – une carte d'étudiant

b un territoire – un citoyen - un pays – une nation

c la démocratie – le contrat d'accueil – la laïcité – l'égalité

d s'intégrer – accueillir – être expulsé – être accepté

LIBERTÉ
ÉGALITÉ
FRATERNITÉ

3 Trouvez les contraires.

a égalité : ....

b devoir : ....

c indivisible : ....

d accueillir : ....

e être favorable à : ....

f intégration : ....

4 Complétez ce témoignage avec : *accueil, se sentir* (au présent), *être de* (au présent), *favorables, avoir la prétention* (au présent), *s'intégrer, être accepté.*

« Je .... Montréal mais je vis à Montpellier depuis 10 ans déjà. Avec plus de 400 000 habitants, Montpellier est la 8ème agglomération de France et .... de devenir une grande métropole. Mais quand je suis arrivé en 2005, j'ai tout de suite senti que .... ne serait pas si simple. Même si Montpellier est une terre d'...................., il faut du temps pour .... complètement par les autochtones... Leur sentiment envers l'étranger est paradoxal : ils sont chaleureux mais ne sont pas toujours .... à l'ouverture de leur ville. Et pourtant, je .... bien ici ! »

5 Complétez le texte avec les mots : *démocratie* (2 fois), *croyances, religieux, laïcité, déchirer* (au présent), *publique, nationale.*

La laïcité expliquée à tous !

Il y a plus d'un siècle, le 9 décembre 1905, la France votait la loi sur la .... Un événement particulièrement important pour toute .... car elle établit la séparation entre le pouvoir politique, l'État, et le pouvoir ....

À l'occasion de la journée .... de la laïcité, des écrivains et philosophes, nous rappellent l'importance de ce principe. La question de la laïcité est source de débat dans la société française, qui souvent se .... autour de cette question. Il ne faut pas faire de confusion : la laïcité n'est pas l'interdiction des .... religieuses mais la simple distinction dans la sphère .... entre ces croyances et le fait politique. La foi appartient à la vie privée de l'individu alors que, dans une ...., le fait politique appartient à tous. Cela est le sens même du mot « démocratie ».

6 Trouvez les mots ou les expressions de sens équivalent.

   a la religion → ....
   b la nation → ....
   c la laïcité → ....
   d le civisme → ....
   e acquérir → ....
   f accepter → ....
   g l'intégration → ....

Phonétique

L'opposition [Œ] ([ə], [ø], [œ]) et [E] ([e], [ɛ])

7 Classez les mots et soulignez les sons.

étranger – ceux – juillet – guerre – jeu – année – démocratie – français – ampleur – célébrez – arbitraire – émigrer – défilé – preuve – peureux – siècle – église – misère – république – deux – peuple – feu – faisons – dix-huitième – demande – acteur – devenir – révolution – penseur – fête

[e]	[ɛ]	[ə]	[ø]	[œ]
pr*é*fère	préf*è*re	d*e*mande	j*eu*	pr*eu*ve

Dossier 8 Les Français

Leçon 37 # Représentations

Comprendre

Un micro-trottoir

1 Écoutez et complétez le tableau. 🎧 39

Les touristes parlent de la France et des Français…

	Francisco, 25 ans, brésilien	Patricia, 30 ans, slovaque	Alison, 45 ans, anglaise
a Ce qu'ils aiment			
b Ce qu'ils n'aiment pas			
c Ce qu'ils pensent des Français en général			

Un article

2 Lisez l'article. Répondez aux questions et cochez la réponse correcte.

L'arrogance française expliquée aux étrangers

Le Parisien, Thierry Dague, publié le 27.04.2013

Olivier Giraud s'est fixé une mission : aider les étrangers à survivre en milieu hostile, autrement dit à Paris. Ce jeune humoriste a intitulé sa leçon « Comment devenir parisien en une heure », ou plutôt – puisque le spectacle est entièrement en anglais – « How to become Parisian in one hour ».

Dans la salle, le monde entier : Suédois, Américains, Indonésiens… À la sortie, tous sauront se montrer aussi snobs que de vrais autochtones.
Dans le métro ? « Si une vieille vous sourit, ne pensez pas qu'elle est sympa. Elle veut juste votre siège. Ignorez-la. » Dans un magasin de vêtements ? « Essayez toutes les tailles, laissez tout par terre et partez en disant : Je vais réfléchir. » Dans la rue ? « Si quelqu'un tombe, ne l'aidez pas, vous ne le connaissez pas. »
Avec un humour décapant, Olivier Giraud délivre le mode d'emploi de la « *french arrogance* », dans un anglais basique, accessible aux spectateurs français, qui représentent la moitié de son public.
Le reste de ses « élèves » est constitué de touristes étrangers et, surtout, d'expatriés, comme Fabiola, une Chilienne installée à Paris depuis trois mois : « Tout ce qu'il dit est vrai ! Les gens ont l'air déprimés dans le métro, c'est la galère pour trouver un appart, les serveurs sont désagréables… »

Le one-man show s'exporte à… Londres
Bordelais d'origine, Olivier Giraud, 35 ans, se souvient qu'il avait eu « beaucoup de mal » à son arrivée dans la capitale. Mais c'est en travaillant aux États-Unis dans la restauration qu'il a trouvé l'idée de ce spectacle. « J'ai observé les différences culturelles entre Français et Américains et j'ai commencé à écrire. » Grâce au bouche à oreille, son premier one-man show tient l'affiche depuis quatre ans et il va jouer à Londres une fois par mois. Quitte à exporter des clichés ? « Je m'appuie sur eux. Mais ils sont vrais : on est infects ! »

texto | Dossier 8 ■ Leçon 37

a Qui est Olivier Giraud ?
....

b Comment est-il devenu célèbre ?
....

c À qui s'adresse-t-il ? En quelle langue ?
....

d Quel est son objectif ?
....

e Qu'est-ce qui l'a motivé ?
....

f La réaction des gens est négative.
☐ Vrai   ☐ Faux
Justifiez en citant un passage du texte : ....
....

g Comment considère-t-il les clichés ?
....

Vocabulaire

La langue française

3 Corrigez les réponses.

a Ensemble des pays qui ont la langue française en partage : la Françafrique. → ....

b Personne qui parle français : un franco-français. → ....

c Personne qui aime la France et la culture française : un francophobe. → ....

d Qualité sonore des mots français : la musicalité des mots. → ....

e Mot utilisé pour qualifier le français comme langue de l'amour : élégant. → ....

L'image et le monde

4 Complétez le témoignage avec : *admiratif, aux quatre coins du monde, compliment, expatrié, imaginaire, paresseux, portrait, représenter, réputation, stéréotype*.
Faites les transformations nécessaires.

Sébastien, 42 ans, français .... au Brésil.

« Mon métier m'a conduit dans différents pays et j'ai pu me rendre compte à quel point les .... sur les Français faisaient partie de l'........................... des gens ...., pour le meilleur et pour le pire. En effet, le .... des Français peut être très avantageux : les gens aiment notre système social. Ils sont .... de l'existence des avantages sociaux ouverts à tous. On nous adresse aussi de nombreux .... sur notre apparence vestimentaire. L'autre jour, on a félicité mon épouse pour son « élégance naturelle ». Mais la .... des Français peut être aussi très mauvaise : par exemple, à cause des grèves, les gens pensent qu'on râle pour tout et n'importe quoi et qu'on est .... En fait, quand on habite à l'étranger, on .... un peu son pays et on doit donc, à mon avis, veiller à l'image qu'on en donne. Mais les clichés ont la peau dure ! »

Dossier 8 Les Français
Leçon 37 | Représentations

Le système social

5 Complétez le témoignage avec : *avantages sociaux, congés payés, débattre, engagé, grève, liberté de parole, modèle, solidaire, supérieur.* **Faites les transformations nécessaires.**

Kim, coréenne, 35 ans, salariée dans une entreprise en France.

« Ma perception des Français a beaucoup changé depuis que je travaille en France. J'avais en tête des images d'usines fermées pour cause de ...., et puis j'ai découvert un peuple travailleur. Certes, les Français ont de nombreux ...., mais c'est parce qu'ils travaillent dur le reste du temps. Ils sont aussi prêts à tout pour défendre leurs .... Ici, la .... est sacrée, on se réunit avec son .... pour .... et trouver des solutions. Au lieu de rester spectateurs, les Français ont une attitude .... Je les croyais individualistes, mais ils sont .... les uns envers les autres. Pour moi, aujourd'hui, le système social français est un .... à perfectionner et à suivre. »

| Grammaire

L'expression de la concession

6 Entourez les mots corrects.

a *Bien que / Même si* les produits cosmétiques français soient vendus dans le monde entier, les Françaises ne se maquillent pas beaucoup.

b *Malgré / Même si* leur réputation de grévistes, les Français sont des personnes de confiance sur le plan professionnel.

c Nous avons toujours une réputation de gens sales *alors que / bien que* nous prenons une douche quotidiennement.

d *Bien que / Même si* les Français ont beaucoup de congés payés, ils sont très productifs au travail.

e Je ne sais pas comment tu fais pour rester mince *alors que / malgré* tu manges autant de pain et de fromage.

7 Deux amies parlent des Français. Reformulez leurs propos en une seule phrase.

FATIMA : Les Français fument beaucoup.
SONIA : C'est vrai, mais je trouve que les paquets de cigarettes coûtent très cher en France.
→ *(pourtant) Les Français fument beaucoup, pourtant les paquets de cigarettes coûtent très cher en France.*

a FATIMA : La France est un pays riche.
SONIA : C'est vrai, mais 14 % de la population est pauvre.

→ (bien que) ....

b FATIMA : Les journées de travail des Français sont intenses.
SONIA : C'est vrai, mais la pause déjeuner reste sacrée.

→ (même si) ....

c FATIMA : Les Français ont la réputation de ne pas se laver.
SONIA : C'est vrai, c'est leur réputation, mais ils sont aussi connus pour leur élégance.

→ (malgré) ....

d FATIMA : On considère en général les Français comme des gens très arrogants.
SONIA : C'est vrai, mais ils savent se montrer très autocritiques.

→ (alors que) ....

L'expression de l'opposition

8 Reformulez les phrases avec *au lieu de, en revanche* ou *par contre*.

a Les Français ne boivent pas de sodas. Ils boivent beaucoup d'eau.
....

b La langue française est considérée comme une des plus belles langues. C'est une langue difficile à apprendre.
....

c Les touristes étrangers adorent Paris. Les Parisiens ne se montrent pas assez accueillants.
....

d Les Français préfèrent travailler moins et gagner plus. Ils ne veulent pas travailler plus et gagner plus.
....

e Les Français se parfument beaucoup. Le métro parisien sent très mauvais.
....

Communiquer

Pour exprimer l'opposition et la concession

9 Regardez les dessins et écrivez un commentaire pour chaque situation.

a .... b .... c ....

Pour parler de stéréotypes

10 En petits groupes, lisez la liste des stéréotypes sur les Français et sélectionnez les sept stéréotypes les plus répandus. Justifiez vos choix. Puis, en grand groupe, comparez les sélections et mettez-vous d'accord sur une nouvelle liste de cinq stéréotypes.

a Les Français parlent mal les langues étrangères.
b Le petit déjeuner français se compose d'un croissant et d'une tasse de café.
c Les Français sont les meilleurs amants du monde.
d Les Français sont chauvins.
e Les hommes sont efféminés.
f Les Français sont racistes.
g Les Français vivent dans de vieilles maisons.
h Les femmes ne s'épilent pas.
i Les Français sont cultivés.
j Les Français sont des râleurs professionnels.
k Les Français n'aiment pas parler anglais.
l Les Français ne se lavent pas.
m Les Français sont arrogants.
n Les Français aiment la bonne cuisine.
o Les hommes portent la moustache.
p Les Français sont petits.
q Les Français sont de grands défenseurs de la liberté.
r Les Français sont élégants.

Dossier 8 Les Français

Leçon 38 Étrangers en France

Comprendre

Une chronique

1 Écoutez la chronique. Répondez aux questions et cochez la réponse correcte. 🎧 40

> ↓ Reportage France
>
> **Heureux, les étudiants étrangers en France ?**
> **Par Stéphane Lagarde**
>
> 🎧 écouter 02 min
>
> « *L'accueil est notamment à améliorer si la France veut se maintenir au 4ᵉ rang mondial pour le nombre des étudiants étrangers.* »
>
> Ils sont étudiants et contents… Selon une enquête de l'Observatoire de la vie étudiante, 80 % des 265 000 étrangers inscrits dans les universités françaises se disent aujourd'hui « *satisfaits* » de leur choix.
>
> 05/12/2006

a Pourquoi le résultat de l'enquête peut-il surprendre ?
....

b Que signifie : « Jeng Seng est prête à se passer de dessert pour étudier à Paris » ?
....

c Combien y a-t-il d'étudiants chinois aujourd'hui ? Ce nombre est-il en baisse, stable ou en augmentation ?
....

d D'après Saeed Paivandi, les jeunes voyagent plus facilement aujourd'hui :
☐ **1** parce qu'ils ont plus d'argent.
☐ **2** parce qu'ils peuvent acheter leur billet sur Internet.
☐ **3** parce qu'ils ont déjà une certaine connaissance du pays avant de voyager.

e Quels sont les points positifs et négatifs évoqués par les étudiants ?
Aspects positifs : ....
Aspects négatifs : ....

f Que se passerait-il s'il n'y avait plus d'étudiants étrangers dans les universités françaises ?
....

Vocabulaire

L'enquête

2 Complétez le texte avec : *étude, image, palmarès, rang, attractivité*.

.... des métropoles qui attirent

Paris reste la ville des étudiants et des artistes, beaucoup moins celle des chercheurs, des dirigeants d'entreprise et des décideurs. L'........................... a la vie d'autant plus dure qu'elle est confirmée par une .... cosignée par EY et l'association de grandes entreprises Paris Île-de-France. Les auteurs ont examiné l'........................... de 44 métropoles mondiales pour cinq catégories d'acteurs : étudiants, créateurs, dirigeants d'entreprise, chercheurs et créateurs de start-up. Il en ressort que, pour les étudiants, l'Île-de-France se situe au troisième .... des métropoles mondiales derrière Londres et Singapour mais devant New York, San Francisco et Boston.

Les points positifs

3 Retrouvez les noms puis choisissez trois mots et faites des phrases avec.

- a T É Q U I L A → ....
- b V É P O T E N D L P E M E → ....
- c A B U T É E → ....
- d L A V U R E → ....
- e T Ê I N T É R → ....
- f P O U T R A I É N T → ....
- g P E G R A P A I S S E N T → ....
- h N A S C E N S I O N A C → ....

1 ....
2 ....
3 ....

Dossier 8 — Les Français Étrangers en France
Leçon 38

Grammaire

La mise en relief d'une idée

4 Transformez les phrases comme dans l'exemple.

J'apprécie beaucoup la gastronomie en France.
→ *Ce que j'apprécie en France, c'est la gastronomie.*
→ *La gastronomie, c'est ce que j'apprécie en France.*

a Vivre au soleil dans le Sud de la France me plaît beaucoup.

→ ....
→ ....

b Je m'intéresse plus particulièrement à la mode.

→ ....
→ ....

c Je souhaite à parler français sans accent.

→ ....
→ ....

d Ils ont envie de s'installer ici quand ils auront fini leurs études.

→ ....
→ ....

e Il adore vivre à l'étranger et découvrir d'autres cultures.

→ ....
→ ....

f Elle a eu peur de se sentir isolée dans une grande ville.

→ ....
→ ....

5 Mettez les mots dans l'ordre pour former des phrases. Ajoutez les majuscules et la ponctuation.

a c' – adorerais – que – amis – est – français – ce – j' – des – avoir

....

b est – timidité – ce – me – je – ma – dont – c' – débarrasser – dois

....

c je – aime – est – isolée – c' – que – ce – pas – être – n'

....

d retrouver – sans – fait – c' – me – qui – peur – parents – ce – seule – mes – est – me

....

6 Complétez les phrases.

a Ce qui ....
b Ce que ....
c Ce dont ....
d Ce à quoi ....

Communiquer

Pour parler de son expérience

7 Vous répondez à l'e-mail d'un(e) ami(e) qui vous demande vos impressions sur la vie en France car il / elle pense venir en France. Vous lui faites part de votre expérience (ressentis positifs et négatifs). Utilisez : *ce qui, ce que, ce dont, ce à quoi*.

De : ....
À : ....
Objet : Impressions sur la vie en France

8 Interrogez quelqu'un qui a vécu en France. Enregistrez l'interview et faites-la écouter à la classe.

  a Pourquoi tu as choisi la France ?

  b Quelles ont été les démarches les plus difficiles ?

  c Comment tu t'es intégré(e) ? Cela a été dur ?

  d Qu'est-ce que tu aimes en France et qu'il n'y a pas dans ton pays ?

  e As-tu des astuces à donner à ceux qui viennent en France ?

  f D'après toi, quelles sont les principales erreurs à ne pas faire ?

9 Échangez en petits groupes vos impressions sur la vie en France et / ou sur le fait d'aller vivre en France.

Dossier 8 Les Français

Leçon 39 # Le français

Comprendre

Un article

1 Lisez l'article. Répondez aux questions et faites les activités demandées.

Société

« L'orthographe est un marqueur social, elle donne une image de soi », estime le linguiste Alain Rey.

[...] Les Français ont une relation passionnée avec l'orthographe. Près de neuf personnes sur dix se disent choquées quand elles repèrent une erreur dans un courrier administratif ou professionnel, selon une enquête Ipsos [...].

Les Français maîtrisent paradoxalement de moins en moins bien notre langue. Le nombre de fautes par dictée est par exemple passé de 10,7 en 1987 à 14,7 en 2007, selon une note du ministère de l'Éducation nationale. 84 % des Français sont gênés lorsqu'ils font une faute d'orthographe et pensent que cela ternit leur image. Car le « tabou de l'orthographe n'est pas encore tombé », estime Alain Rey, linguiste, lexicographe et figure emblématique de la rédaction des dictionnaires Le Robert.

Question 1 : ....
Alain Rey : L'orthographe est en quelque sorte un patrimoine culturel partagé. Certaines langues sont plus faciles dans la mesure où lorsqu'on sait les prononcer, on sait les écrire, comme l'espagnol. Pour le français, c'est plus difficile, car prononciation et écriture se sont séparées au cours de notre histoire. Beaucoup de lettres ne sont pas prononcées, comme dans le mot *doigt* par exemple.

Question 2 : ....
Alain Rey : Avoir une bonne orthographe fait partie des comportements sociaux. On peut tolérer une orthographe incertaine dans les lettres privées, dans les SMS. Mais si on fait une faute dans le milieu professionnel, il y a une sanction sociale, on risque d'être mal jugé, de subir des effets sociaux désagréables. Pour celui qui fait des fautes, il y a un sentiment d'échec. L'orthographe est un marqueur social, elle donne une image de soi. Cela montre qu'on respecte les règles, qu'on connaît sa langue.

Question 3 : ....
Alain Rey : Non. C'est au moment où tout le monde est allé à l'école qu'une mauvaise orthographe est devenue problématique. Au Moyen Âge, on n'écrivait pas n'importe comment mais l'écriture pouvait être plus régionale ou personnelle. Cela dit, il y a toujours eu des jugements de valeur. C'était mieux vu d'écrire comme à Paris.

Question 4 : ....
Alain Rey : Non, il faut distinguer les fautes graves et les fautes de mémoire. Ne pas savoir si tel mot prend une double consonne est moins grave que mélanger infinitif et participe passé. Les fautes graves sont celles qui montrent un défaut dans la syntaxe, et donc dans la compréhension.

Propos recueillis par Thibaut Le Gal, *20 minutes*, 04/09/2014.

a Qui est interviewé ?

....

b Quel est le paradoxe de la relation des Français avec leur langue ?

....

....

c Replacez dans l'article les questions posées par le journaliste.

– Les fautes sont-elles toutes de même valeur ?

– Comment expliquer cet amour des Français pour l'orthographe ?

– Comment expliquer ce sentiment de honte à l'idée de faire une faute ?

– Est-ce que cela a toujours été comme ça ?

d Pourquoi l'orthographe française est-elle si difficile ?

....

....

e Pourquoi 84 % des Français sont-ils gênés quand ils font une faute d'orthographe ?

....

....

f Vrai ou faux ? Cochez la réponse correcte et justifiez votre choix.

Les règles orthographiques françaises sont fixées depuis le Moyen Âge.   ☐ Vrai   ☐ Faux

Justification : ....

g Quelles fautes peuvent-être considérées comme graves ?

....

....

Vocabulaire

La langue

2 Complétez la grille à l'aide des définitions.

Verticalement

1 Termes et tournures empruntés à la langue anglaise et employés de façon excessive dans la langue française.

2 Spécialiste du langage.

3 Prendre et faire sien.

Horizontalement

4 Mot ou expression propre à la langue anglaise.

3 Complétez avec *contribuer à* et *être issu(e) de*. Faites les transformations nécessaires.

Avant le XIXe siècle, c'est le français qui .... l'enrichissement de la langue anglaise. Selon la linguiste Henriette Walter, les deux tiers du vocabulaire anglais .... français.

Dossier 8 — Les Français
Leçon 39 — Le français

Grammaire

Le discours rapporté au passé et la concordance des temps

4 Complétez le tableau.

Discours direct	Discours indirect (rapporté au passé)
Présent	....
....	Plus-que-parfait
Imparfait	....
....	Conditionnel présent

5 Transformez l'interview au discours indirect.

JOURNALISTE : De quand datent les premiers échanges entre la langue anglaise et la langue française ?	Le journaliste a demandé ....
HENRIETTE WALTER : Les premiers échanges datent du XIᵉ siècle, quand Guillaume le Conquérant est devenu roi d'Angleterre. Il a chassé la noblesse anglaise de la Cour, l'a remplacée par des nobles français et c'est à partir de cette date que la langue anglaise a commencé à puiser dans le lexique français. La langue française empruntera à la langue anglaise seulement à partir de la fin du XVIIIᵉ siècle.	Henriette Walter a répondu .... Elle a ajouté .... Elle a précisé ....
JOURNALISTE : Il y a donc plus de mots d'origine française que l'inverse ?	Le journaliste a demandé ....
HENRIETTE WALTER : C'est incomparable, les deux tiers du vocabulaire anglais sont d'origine française, alors que seulement 4 % du lexique français est emprunté à l'anglais.	Henriette Walter a répondu que ....
JOURNALISTE : Où en sont ces échanges aujourd'hui ?	Le journaliste a demandé ....
HENRIETTE WALTER : La langue française puise dans le lexique anglais surtout pour ce qui concerne les nouvelles technologies. Les Anglais, eux, continuent à nous emprunter des mots qui font chic et un Anglais qui veut paraître cultivé ponctuera sa conversation de « déjà-vu » ou « joie de vivre ».	Henriette Walter a répondu .... Elle a précisé ....

6 Rapportez les paroles que vous entendez, comme dans l'exemple. Puis écoutez pour vérifier. 🎧 41

J'adore la langue française ! → Il a dit qu'il adorait la langue française.

a ....
b ....
c ....
d ....
e ....
f ....

Communiquer

Pour rapporter les paroles de quelqu'un

7 Vous avez lu l'interview d'Alain Rey (activité 1 p. 118) et vous souhaitez en parler à un(e) ami(e) qui étudie le français. Écrivez-lui un e-mail dans lequel vous rapportez les paroles du linguiste qui vous ont le plus intéressé(e).

De : ....
À : ....
Objet : Interview d'Alain Rey

Pour parler d'une langue

8 Faites des recherches sur l'origine de ces mots utilisés en français. Puis présentez votre travail à la classe.

un(e) camarade   un graffiti   un kamikaze
un thé   un magasin   une banane

9 Faites des recherches sur ces mots utilisés en anglais. Puis présentez votre travail à la classe.

foreign   remember   castle   bacon
towel   noise

10 Faites des recherches sur votre langue : contient-elle du lexique issu d'autres langues ? Si oui, lesquelles ? Cherchez des exemples et présentez votre travail à la classe.

Dossiers 7 et 8
Bilan

1 Écoutez la conversation et répondez aux questions.

  a Pourquoi Leonardo est-il en France ? ....
  b À quelle occasion rencontre-t-il Vanessa ? ....
  c Pourquoi Jonathan est-il absent ? ....
  d Quelle est la réaction de Leonardo ? Pourquoi ?
  ....
  e Quel débat agite la société française concernant la journée du dimanche ?
  ....
  f Que pense Leonardo des Français ?
  ....
  g Où a-t-il appris la langue française ? ....
  h À la fin de la conversation, à quelle superstition Vanessa fait-elle allusion ?
  ....

2 Après le brunch, Leonardo lit les résultats d'une enquête sur les valeurs des Français. Complétez le commentaire qu'il a commencé.

POUR QUI, POUR QUOI ÊTES-VOUS PRÊTS À RISQUER OU À DONNER VOTRE VIE AUJOURD'HUI ?
ENQUÊTE

LE SPHINX INSTITUTE — radio france

SELON VOUS, QUELLES SONT LES TROIS VALEURS AUTOUR DESQUELLES LES CITOYENS DE NOTRE PAYS DOIVENT SE RASSEMBLER POUR ABORDER LE SIÈCLE QUI COMMENCE ?

Les répondants à l'enquête France ont été des femmes à 57,5 % et des moins de 35 ans à 51 %.

POUR LA FRANCE
- Solidarité 37,2 %
- Écologie 32,4 %
- Éducation 30,2 %

- Liberté 28,6 %
- Respect 28,3 %
- Justice 20,3 %
- Égalité 20,3 %
- Paix 19,7 %
- Fraternité 17,7 %
- Culture 13,2 %
- Famille 12,8 %
- Diversité 10,3 %
- Travail 7,5 %
- Patrie 5 %
- Foi en Dieu 4,5 %

PAR SEXE

Femmes		Hommes	
Solidarité	37,4 %	Liberté	29,3 %
Écologie	31,6 %	Solidarité	28,3 %
Éducation	29,6 %	Écologie	27,3 %

PAR ÂGE

- de 35 ans	35 - 54 ans	+ de 55 ans
Solidarité 35,3 %	Solidarité 32,4 %	Solidarité 29,9 %
Écologie 29,8 %	Écologie 31,4 %	Liberté 28,3 %
Respect 28,7 %	Éducation 27,5 %	Éducation 25,9 %

D'après les résultats de l'enquête, les trois principales valeurs des Français sont la solidarité avec 37,2 %, l'écologie avec 32,4 % et l'éducation avec 30,2 %. La liberté et le respect sont aussi des valeurs importantes pour plus du quart de la population, alors que

texto | Dossiers 7 et 8 ■ Bilan

3 Dans un café, Leonardo fait la connaissance d'une jeune femme étrangère qui vit en France depuis quelques mois. Il l'interroge pour avoir son témoignage sur la France et les Français. Imaginez la conversation en vous aidant des notes de Leonardo.

- La raison du séjour en France ?
- L'opinion sur la France ?
- L'opinion sur les Français ?
- Un stéréotype confirmé ?
- Un stéréotype détruit ?
- Un regret ?

4 Après cette conversation, Leonardo cherche à comprendre quelques idées reçues sur la langue française. Lisez l'article et faites les activités demandées.

1 ....

La langue française est remplie d'exceptions grammaticales. Sa syntaxe est très complexe et ses règles immuables. Alors comment expliquer qu'autant d'auteurs étrangers l'adoptent ? « La grammaire française est tellement stricte que si on la suit bien, il n'y a pas de problème. Il est facile d'avoir une écriture correcte en français », explique Gao Xingjian, Prix Nobel de littérature.

2 ....

Si l'anglais est associé à la culture pop branchée […], c'est l'une des langues qui a le plus emprunté à notre lexique. […] « Le rayonnement d'une langue repose sur la puissance culturelle du pays. C'est parce que notre gastronomie est reconnue à l'international que les termes français issus du domaine culinaire se sont installés dans la plupart des langues étrangères, de même pour la danse et la haute couture » (Xavier North, délégué général à la langue française et aux langues de France).

3 ....

Ah oui ? La programmation de l'édition 2013 de la Semaine de la langue française offre une place de choix au slam. Si le slam a plutôt des allures de poèmes que les tubes de Lady Gaga ou Rihanna, il repose sur le sens du rythme, le claquement du son. La langue devient un instrument de musique à part entière. Et le français s'est toujours parfaitement prêté à cet exercice, sans mentionner les chansons à texte en général.

D'après Laure Beaudonnet, *l'Express*, 15 mars 2013

a Donnez un titre à chaque paragraphe.

- Le français ne se prête pas à la musique.
- Le français est difficile.
- Le français est moins « cool » que l'anglais.

b Complétez le tableau.

Idées reçues	Pourquoi pense-t-on cela ?	Que constate-t-on en réalité ?
1	....	....
2	....	....
3	....	....

Portfolio

Les descripteurs du **Cadre européen commun de référence pour les langues** permettent d'expliquer les compétences de communication attendues à chaque niveau.

Après les 8 dossiers de Texto 3, vous pouvez vous auto-évaluer.
Lisez les compétences du CECRL et choisissez votre niveau.

LIRE	Un peu	Assez bien	Bien
Je peux comprendre la description d'événements relatifs à des sujets familiers.	☐	☐	☐
Je peux comprendre l'expression de sentiments et de souhaits dans des lettres personnelles.	☐	☐	☐
Je peux trouver et comprendre l'information pertinente dans des écrits quotidiens tels que des lettres, des prospectus et de courts documents officiels.	☐	☐	☐
Je peux identifier les points significatifs d'un article de journal direct et non complexe sur un sujet familier tel que le travail, les voyages, la famille, la santé.	☐	☐	☐
Je peux réunir des informations provenant de différentes parties d'un texte ou de textes différents tels que des articles de journaux, des pages de site Internet, des graphiques, des affiches, afin d'accomplir une tâche spécifique.	☐	☐	☐

ÉCOUTER	Un peu	Assez bien	Bien
Je peux comprendre les points principaux d'une intervention sur des sujets familiers abordés régulièrement au travail, à l'école, pendant les loisirs, y compris des récits courts.	☐	☐	☐
Je peux comprendre l'essentiel de nombreuses émissions de radio ou de télévision sur l'actualité ou sur des sujets qui m'intéressent à titre personnel ou professionnel si l'on parle d'une façon relativement lente et distincte.	☐	☐	☐
Je peux comprendre des informations techniques simples, par exemple dans le domaine des nouvelles technologies.	☐	☐	☐
Je peux comprendre l'expression d'opinions et de sentiments à travers des témoignages sur des sujets comme les études, la relation entre vie privée et vie publique, les croyances, les stéréotypes...	☐	☐	☐

Portfolio

ÉCRIRE

	Un peu	Assez bien	Bien
Je peux écrire des textes pour décrire des expériences et des impressions.	☐	☐	☐
Je peux faire la description d'un événement, d'un voyage récent, réel ou imaginé.	☐	☐	☐
Je peux faire un récit sur des inventions (objets, vêtements…).	☐	☐	☐
Je peux résumer une source d'informations factuelles comme un article de magazine sur des sujets familiers courants et non courants dans mon domaine, en faire le rapport et donner mon opinion.	☐	☐	☐
Je peux décrire les résultats d'une enquête ou d'un sondage sur des sujets familiers.	☐	☐	☐
Je peux écrire un message sur un forum Internet pour exprimer ma pensée sur un sujet abstrait ou culturel tel que la liberté d'expression, les croyances, la langue française…	☐	☐	☐

PARLER

	Un peu	Assez bien	Bien
Je peux faire une description simple de sujets familiers variés dans le cadre de mon domaine d'intérêt.	☐	☐	☐
Je peux décrire un rêve, un espoir ou une ambition.	☐	☐	☐
Je peux rapporter assez couramment une narration ou une description simple sous forme d'une suite de points.	☐	☐	☐
Je peux résumer – en donnant mon opinion – un bref récit, un article, un exposé, une discussion, une interview ou un documentaire et répondre à d'éventuelles questions complémentaires de détail.	☐	☐	☐
Je peux développer une argumentation suffisamment correctement pour être compris sans difficulté la plupart du temps.	☐	☐	☐
Je peux faire comprendre mes opinions et réactions pour trouver une solution à un problème ou à des questions pratiques relatives à : où aller ? que faire ? comment s'organiser ?	☐	☐	☐
Je peux comparer et opposer des alternatives en discutant de ce qu'il faut faire, d'où il faut aller, de qui désigner, de qui ou quoi choisir, etc.	☐	☐	☐
Je peux commenter brièvement le point de vue d'autrui.	☐	☐	☐
Je peux exprimer poliment mes convictions, mes opinions, mon accord et mon désaccord.	☐	☐	☐
Je peux aborder sans préparation une conversation sur un sujet familier, par exemple la famille, les loisirs, le travail, les voyages.	☐	☐	☐
Je peux expliquer comment faire quelque chose en donnant des instructions détaillées, par exemple pour utiliser des appareils.	☐	☐	☐

DELF B1

I. COMPRÉHENSION DE L'ORAL
16 points

Exercice 1
6 points

Vous allez entendre un document sonore. Vous aurez :

– 30 secondes pour lire les questions ;

– une première écoute, puis 30 secondes de pause pour commencer à répondre aux questions ;

– une seconde écoute, puis 1 minute de pause pour compléter vos réponses.

Écoutez le dialogue. Cochez les réponses correctes et répondez aux questions. 🎧 43

1 Noémie ne va pas bien en ce moment car... *1 point*
- ☐ a elle travaille beaucoup au bureau.
- ☐ b elle est malade depuis une semaine.
- ☐ c elle est en période d'examens à l'université.

2 Que propose Simon à Noémie pour se changer les idées ? *1 point*
- ☐ a De rendre visite à un ami.
- ☐ b D'aider un ami à déménager.
- ☐ c D'organiser une soirée en famille.

3 Quelle nouvelle Simon donne-t-il à Noémie au sujet de Louis ? *1 point*
- ☐ a Il a récemment divorcé.
- ☐ b Il a emménagé seul dans une maison.
- ☐ c Il a créé une famille recomposée avec sa nouvelle femme.

4 Où se trouve la maison de Louis ? *1 point*

....

5 Quelle difficulté Louis a-t-il rencontrée au début de son installation ? *1 point*

....

6 Dans le cas de Louis, qu'est-ce qui est important d'après Noémie ? *1 point*
- ☐ a L'écoute des conseils des amis.
- ☐ b L'autorité parentale sur les enfants.
- ☐ c La communication dans une famille.

Exercice 2
10 points

Vous allez entendre un document sonore. Vous aurez :

– 1 minute pour lire les questions ;

– une première écoute, puis 3 minutes de pause pour commencer à répondre aux questions ;

– une seconde écoute, puis 2 minutes de pause pour compléter vos réponses.

Écoutez le dialogue. Cochez les réponses correctes et répondez aux questions. 🎧 44

1 L'invité de l'émission est... *1 point*
- ☐ a médecin.
- ☐ b romancier.
- ☐ c journaliste.

DELF B1

2 Pour Christophe Fauré, les difficultés rencontrées dans une famille recomposée... *1 point*

- ☐ **a** sont moins présentes dans une famille non recomposée.
- ☐ **b** sont identiques à celles présentes dans une famille non recomposée.
- ☐ **c** sont différentes de celles présentes dans une famille non recomposée.

3 Quel problème majeur les couples de familles recomposées rencontrent-ils ? *2 points*

....

4 Le beau-parent a généralement des difficultés à... *1 point*

- ☐ **a** accepter les enfants de son conjoint.
- ☐ **b** se faire respecter des enfants de son conjoint.
- ☐ **c** être attentif à l'éducation des enfants de son conjoint.

5 Quel phénomène peut-on observer entre les enfants des deux familles ou entre les beaux-parents et les parents naturels ? *2 points*

....

6 Pour Christophe Fauré, faire partie d'une famille recomposée... *1 point*

- ☐ **a** perturbe beaucoup l'éducation des enfants.
- ☐ **b** est très enrichissant pour les enfants et les parents.
- ☐ **c** présente des avantages économiques pour les parents.

7 Citez deux conseils que donne Christophe Fauré aux couples des futures familles recomposées. *2 points*

a ....

b ....

II. COMPRÉHENSION DES ÉCRITS 25 points

Exercice 1 10 points

Vous décidez d'offrir à un ami un week-end bien-être en France, au début du mois de décembre. Vous aimeriez qu'il loge dans un château, près de la mer, et qu'une visite soit comprise dans

1. Pays cathare

L'hôtel du Soleil (4 étoiles) est situé sur les rives du canal du Midi à Carcassonne et à proximité immédiate de la cité médiévale. Il a su conserver une ambiance style « années 1900 » grâce notamment à sa belle façade et son escalier classés aux Beaux-arts. Les chambres, au décor contemporain ou Belle Époque, sont de bon confort. Au cœur de la cité de Carcassonne, découvrez le château Comtal et ses remparts classés au patrimoine mondial de l'humanité par l'Unesco. Ce programme inclut une visite du château et l'accès à l'espace détente de l'hôtel.
Tarifs : 94 € / personne (d'avril à septembre) – 85 € / personne (d'octobre à mars).

2. Le Touquet

L'institut du Touquet offre une atmosphère sereine et apaisante, avec sa vue panoramique sur la plage à travers de larges baies vitrées et son décor boisé. Il est directement relié à l'hôtel et comprend : espace marin avec piscine d'eau de mer chauffée à 29 °C, hammam oriental, salle de fitness, institut de beauté, salon de coiffure, tisanerie et salles de repos. L'hôtel dispose de 91 chambres contemporaines et lumineuses dont certaines avec balcon, dotées d'une TV écran plat, téléphone direct, Wi-Fi, coffre-fort, salle de bains avec sèche-cheveux et toilettes. Le séjour a exclusivement lieu à l'hôtel.
Tarifs : de 120 à 150 € (selon période). Ouvert toute l'année.

DELF B1

3. Saint Omer

Le charme du Pas-de-Calais se dévoile pour vous le temps d'un week-end en pleine nature, dans le magnifique château Tilques. Les chambres sont cosy et confortables, dotées d'une décoration authentique. Profitez de la piscine intérieure pour passer un moment relaxant. Vous aurez la possibilité pendant votre séjour de faire une promenade en chemin de fer : un petit voyage vers les années cinquante à bord de l'autorail « Le Picasso »… On a le temps de prendre son temps, à 30 km/h, de regarder le paysage de la Vallée de l'Aa déambuler sous nos yeux…
Tarifs : 100 € tout compris. Ouvert du 5 janvier au 23 décembre.

4. Côte d'Opale

Venez passer un week-end au vert à l'hôtel-château Cléry, à quelques minutes de Boulogne-sur-Mer et de la côte d'Opale. Les chambres spacieuses et lumineuses offrent une belle vue sur le parc ou la charmante cour pavée. La vieille ville de Boulogne et sa campagne aux paysages surprenants, entre terre et mer, ne font que confirmer votre sensation de bien-être. Sur leurs longues plages de sable, vous pouvez pratiquer ballades, baignade ou char à voile. Le Château Musée, la Cité de la dentelle ou le célèbre Centre de la mer Nausicàa sont les visites que nous vous proposons pendant votre week-end. Nous vous accueillons toute l'année.
Tarifs : 90 € / personne ou 100 € / personne (1 visite au choix incluse).

le séjour. Vous avez un budget de 100 euros.

1 Dites si le séjour correspond à vos exigences en cochant la case « oui » ou « non ».

	1. Pays cathare		2. Le Touquet		3. Saint-Omer		4. Côte d'Opale	
	OUI	NON	OUI	NON	OUI	NON	OUI	NON
Période	☐	☐	☐	☐	☐	☐	☐	☐
Type de logement	☐	☐	☐	☐	☐	☐	☐	☐
Lieu du séjour	☐	☐	☐	☐	☐	☐	☐	☐
Visite inclue	☐	☐	☐	☐	☐	☐	☐	☐
Budget	☐	☐	☐	☐	☐	☐	☐	☐

2 Quel séjour correspond le plus à vos exigences ? ....

Exercice 2

15 points

Comment gérer le stress avant l'examen ?

Les révisions s'accélèrent, le jour des premières épreuves approche et, forcément, la pression monte : la dernière ligne droite avant le baccalauréat est une épreuve en soi pour les bacheliers. Sommeil, alimentation, stress, médicaments : quels sont les bons réflexes à adopter et, a contrario, les fausses bonnes idées à oublier ?

On mémorise beaucoup pendant la nuit, surtout pendant le sommeil profond. Réviser tard le soir n'est donc pas un problème. À l'inverse, passer une nuit blanche à réviser ne sert à rien : mieux vaut dormir deux ou trois cycles d'une heure.

Il faut manger le plus équilibré possible mais la règle reste de ne pas trop changer ses habitudes. Cela ne sert à rien de ne manger que du poisson et des épinards, censés doper la mémoire : c'est un mythe. En revanche, il est très important de boire beaucoup puisque la déshydratation est facteur de stress.

Évitez les médicaments, sauf s'ils sont prescrits par votre médecin et que vous les avez essayés une semaine avant les examens. Il y a bien d'autres solutions, comme le yoga ou la psychothérapie, mais on ne s'y met pas à la veille d'examens. En ce qui concerne les compléments alimentaires, nous n'en avons pas besoin. Ces compléments sont destinés aux personnes qui ont des carences alimentaires. Attention avec le café : la caféine est un bon stimulant, mais si on a l'habitude d'en prendre deux par jour, il ne faut pas en boire dix pendant les épreuves.

DELF B1

S'il est important de se détendre, mieux vaut marcher dehors, s'aérer ou aller au cinéma plutôt que jouer aux jeux vidéo. Tous les jeux vidéo ne sont pas stressants, mais leur enjeu peut le devenir. Le sport est très bon pour le corps, surtout pendant la période des révisions, mais il est inutile de faire une grosse séance à la veille des examens.

Le cerveau a besoin de beaucoup d'oxygène lorsqu'on stresse. Il est donc recommandé, le jour des examens, de respirer largement et le plus lentement possible quand on découvre les intitulés d'une épreuve. Si vous connaissez des méthodes de respiration, elles vous seront très utiles. Sinon, prenez deux ou trois minutes pour penser à autre chose tout en respirant lentement. Cela vous permettra d'entrer plus détendu dans votre sujet. De même, évitez au maximum de regarder ce qu'il se passe autour de vous : on peut avoir l'impression de ne faire que des erreurs, entouré de prix Nobel. Ce qui n'est probablement pas le cas…

D'après http://www.europe1.fr

Lisez cet article puis répondez aux questions et cochez les réponses correctes.

1 D'après l'article, pour quelle raison est-il favorable d'étudier en soirée ? *1,5 point*

………

2 Vrai ou faux ? Cochez la bonne réponse et recopiez la phrase ou la partie du texte qui justifie votre réponse. *3 points*

	V	F
a Étudier toute une nuit est indispensable.	☐	☐

Justification : ……

	V	F
b Il faut modifier ses comportements alimentaires lorsqu'on est en période de révisions.	☐	☐

Justification : ……

3 D'après l'article, quel manque peut entraîner du stress ? *1 point*

☐ **a** Un manque d'eau.   ☐ **b** Un manque de poisson.   ☐ **c** Un manque d'épinards.

4 Dans l'article, qu'est-il conseillé de faire plusieurs jours avant les examens ? *1,5 point*

☐ **a** Prendre des compléments alimentaires.
☐ **b** Acheter des médicaments en pharmacie.
☐ **c** Pratiquer une activité de détente physique.

5 Quelle est la recommandation faite dans l'article sur la consommation de café ? *2 points*

………

6 Pour se détendre, il est conseillé dans cet article… *1 point*

☐ **a** d'aller se promener.
☐ **b** de rester se reposer chez soi.
☐ **c** de jouer avec des amis aux jeux vidéo.

7 Vrai ou faux ? Cochez la bonne réponse et recopiez la phrase ou la partie du texte qui justifie votre réponse. *1,5 point*

	V	F
D'après l'article, il faut faire un maximum de sport le jour qui précède les épreuves.	☐	☐

Justification : ……

8 Pour quelle raison est-il conseillé de bien respirer, le jour de l'examen ? *2 points*

………

9 Vrai ou faux ? Cochez la bonne réponse et recopiez la phrase ou la partie du texte qui justifie votre réponse. *1,5 point*

	V	F
D'après l'article, il est conseillé de prendre un peu de temps pour observer les autres dans la salle d'examen.	☐	☐

DELF B1

Justification : ....

III. PRODUCTION ÉCRITE   25 points

Imaginez l'objet connecté parfait !

Quel objet de votre quotidien aimeriez-vous voir connecté et doté de quel type de fonction ?
Pas de limite, du t-shirt au réfrigérateur, de votre moquette à votre lavabo. Parlez-nous de votre rêve !

**Vous lisez cette annonce sur Internet. Vous décidez de participer à cette discussion.
Répondez à la question en donnant votre opinion sur les objets connectés (160 mots minimum).**

IV. PRODUCTION ORALE   25 points

10 minutes de préparation pour la troisième partie de l'épreuve.
15 minutes de passation maximum.

L'épreuve se déroule en trois parties qui s'enchaînent.
Elle dure entre 10 et 15 minutes.
Pour la troisième partie, vous disposez de 10 minutes de préparation.

ENTRETIEN DIRIGÉ — SANS PRÉPARATION — *2 à 3 minutes*

**Après avoir salué votre examinateur, présentez-vous (parlez de vous, de votre famille, de vos amis, de vos études, de vos goûts, des animaux que vous aimez, etc.).
L'examinateur vous posera des questions complémentaires.**

EXERCICE EN INTERACTION — SANS PRÉPARATION — *3 à 4 minutes*

Choisissez un sujet parmi les deux tirés au sort et jouez le rôle indiqué sur le document.

AU CHOIX DU CANDIDAT APRÈS TIRAGE AU SORT DE DEUX SUJETS :

Le genre masculin est utilisé pour alléger le texte.
Vous pouvez naturellement adapter la situation en adoptant le genre féminin.

Sujet 1 : Un de vos amis divorcé, qui vit avec ses deux enfants, vous annonce qu'il va certainement emménager avec sa nouvelle copine qui, elle, a un fils de 17 ans. Il s'inquiète un peu de cette nouvelle vie de famille recomposée. Vous tentez de le rassurer en lui donnant quelques conseils.
L'examinateur joue le rôle de l'ami divorcé.

DELF B1

> **Sujet 2 :** Un de vos amis est un geek compulsif. Il ne peut pas s'empêcher de consulter son smartphone, est toujours connecté sur les réseaux sociaux et oublie de sortir de chez lui pour rencontrer ses amis. Vous pensez que la situation est grave et vous lui dites. Il ne comprend pas votre réaction.
> Une discussion commence.
> *L'examinateur joue le rôle de l'ami geek.*

EXPRESSION D'UN POINT DE VUE – PRÉPARATION : 10 MINUTES – 5 à 7 minutes

**Choisissez un sujet parmi les deux tirés au sort. Dégagez le thème soulevé dans le document et présentez votre opinion sous la forme d'un exposé personnel de 3 minutes.
L'examinateur pourra vous poser quelques questions.**

AU CHOIX DU CANDIDAT APRÈS TIRAGE AU SORT DE DEUX SUJETS :

> **Sujet 1 : Smartphone : réviser le bac, c'est dans la poche !**
>
> Alors que plus de la moitié des futurs bacheliers sont équipés de smartphones, les applications en tout genre se multiplient pour faciliter leur réussite en vue du début des épreuves. Si ces outils ne se suffisent pas à eux-mêmes, ils permettent d'avoir accès à une multitude d'informations dans la poche. Les applications gratuites proposent des fiches de révisions, des quiz et des conseils méthodologiques, le tout agrémenté de vidéos ludiques. Apprendre les citations des grands philosophes, les dates de la Seconde Guerre mondiale et le PIB du Mexique, c'est une chose. Savoir les placer correctement dans une dissertation en est une autre... Le meilleur moyen de s'entraîner est encore de s'essayer sur les épreuves des années précédentes. Pour cela, il existe des applications smartphones mais, attention, elles ne sont pas gratuites. Applications, livres et forums dédiés sont aujourd'hui disponibles à portée de main pour travailler même quand on est loin des salles de cours. Sont-elles vraiment utiles ?
>
> D'après http://www.europe1.fr

> **Sujet 2 : Cinq mois pour apprendre un nouveau métier**
>
> Un salarié sur trois envisage de changer de métier. Comment se former, quel métier choisir ? Changer de vie professionnelle, tout le monde y pense... ou presque. Mais ça semble aussi très difficile. 94 % de ceux qui se disent prêts à tout changer disent qu'ils manquent d'information, de conseils, de soutien. Bref, on ne sait pas où aller quand on a envie de tout laisser derrière soi. Cécile était « hôtesse au sol ». Précarité, pas d'avenir. À trente ans, elle est aujourd'hui chef gouvernante à l'hôtel Costes à Paris : *« Vous retournez sur les bancs de l'école, vous vous retrouvez avec votre bloc, votre petite trousse. C'est très rapide, ça dure cinq mois : vous commencez par de la théorie, on vous apprend aussi à vous tenir, la tenue vestimentaire, on vous envoie aussi visiter des hôtels... C'est un secteur qui est dans la demande en permanence. »* Cinq mois, c'est la durée moyenne d'un stage pour apprendre un nouveau métier. Alors, que diriez-vous de changer de métier ?
>
> D'après http://www.franceinfo.fr

Transcriptions

DOSSIER 1 Au boulot !

Leçon 2 ■ Diplômes

Piste n° 03, activité 1, page 6

AGNÈS SOUBIRAN : *Question d'éducation*, votre rendez-vous avec l'actualité de l'éducation et Emmanuel Davidenkoff. Bonjour Emmanuel.
EMMANUEL DAVIDENKOFF : Bonjour Agnès, bonjour à tous.
AGNÈS SOUBIRAN : L'Insee, l'institut de la statistique, annonce qu'il n'y a jamais eu autant d'étudiants : 2,39 millions, soit un et demi pour cent de plus qu'en 2011.
EMMANUEL DAVIDENKOFF : Et c'est logique au fond : le taux de réussite au baccalauréat augmente chaque année, et la pression sociale en faveur des études supérieures est très forte.
AGNÈS SOUBIRAN : Oui, parce qu'on le sait, Emmanuel, le diplôme reste la meilleure arme anti-chômage.
EMMANUEL DAVIDENKOFF : Voilà, c'est ce que montrent les études. Et en effet, les entreprises font confiance à certaines filières et aux diplômes.
AGNÈS SOUBIRAN : Et en premier les écoles d'ingénieurs.
EMMANUEL DAVIDENKOFF : Absolument, les effectifs des écoles d'ingénieurs augmentent de 7 % par an depuis le début des années quatre-vingt-dix.
AGNÈS SOUBIRAN : C'est pourtant l'université qui continue à accueillir le plus d'étudiants...
EMMANUEL DAVIDENKOFF : C'est vrai, un million et demi d'étudiants sont inscrits à l'université, dont 230 000 en sciences humaines et sociales. Plus de 200 000 étudiants également en droit, sciences politiques et sciences économiques. Mais on constate qu'il y a de moins en moins d'étudiants en sciences.
AGNÈS SOUBIRAN : Dernier enseignement, Emmanuel : il y a toujours plus d'étudiants, mais toujours pas plus de démocratisation.
EMMANUEL DAVIDENKOFF : Non. « Le monde étudiant reste encore majoritairement celui des professions libérales et des cadres supérieurs », c'est ce qu'écrit l'Insee. Plus de 30 % des étudiants à l'université viennent de ces catégories socioprofessionnelles. Seulement 11 % des étudiants viennent de familles d'ouvriers.
AGNÈS SOUBIRAN : Merci Emmanuel Davidenkoff. *Question d'éducation*, à retrouver sur franceinfo.fr. À demain.

Leçon 3 ■ Question d'éducation

Piste n° 04, activité 1, page 10

JOURNALISTE : Aujourd'hui, nous recevons Élisabeth Fournier pour parler des modes d'écriture des lycéens. Élisabeth, bonjour.
ÉLISABETH FOURNIER : Bonjour.
JOURNALISTE : Alors, vous avez observé des lycéens pendant deux ans pour étudier leur rapport à l'écriture. On pense souvent que les adolescents n'écrivent plus. Mais vous n'êtes pas d'accord...
ÉLISABETH FOURNIER : Non, ce sont de gros consommateurs de numérique et de réseaux sociaux. Ils écrivent beaucoup et tous les jours entre les SMS, Facebook, Twitter, etc.
JOURNALISTE : Mais on s'interroge beaucoup à propos de ces nouveaux usages et plus précisément sur le niveau de langue. Doit-on vraiment s'inquiéter ?
ÉLISABETH FOURNIER : C'est vrai qu'on se pose des questions sur le niveau en orthographe des jeunes. Mais les lycéens écrivent le plus souvent en toutes lettres et font attention à l'orthographe.
JOURNALISTE : Mais les bons élèves sont plus à l'aise pour écrire ?
ÉLISABETH FOURNIER : Oui, bien sûr.
JOURNALISTE : Une étude du CNRS a montré que le langage SMS n'affectait pas le niveau orthographique des jeunes. Partagez-vous cette opinion ?
ÉLISABETH FOURNIER : Oui, absolument. Il n'y a pas d'influence négative des SMS sur leur façon d'écrire. Les lycéens veulent être compris. Ils ont donc une préoccupation du mot juste et ils vont faire attention à l'orthographe.
JOURNALISTE : Est-ce que le fait d'écrire des textos développe des compétences ?
ÉLISABETH FOURNIER : Oui. Comme les messages contiennent au maximum 160 caractères, il faut pouvoir dire le plus de choses possible en peu de mots. De plus, le langage SMS est très créatif car chacun fabrique en permanence de nouveaux mots.
JOURNALISTE : Élisabeth Fournier, je vous remercie.
ÉLISABETH FOURNIER : Merci à vous.

Leçon 4 ■ Métiers

Piste n° 05, activité 1, page 14

VIOLETTE : Allô !
VALÉRIE : Salut mamie ! Ça y est, j'ai eu mes résultats ! J'ai obtenu 15 à mon épreuve de français.
VIOLETTE : Oh, je suis fière de toi, ma chérie. Comme ça, tu auras des points d'avance l'année prochaine. Et quand tu l'auras, ton bac, tu sais ce que tu feras ?
VALÉRIE : Franchement, je sais pas trop pour l'instant. Maman voudrait que j'aille en fac de lettres pour que je devienne prof de français comme elle et que j'aie la sécurité de l'emploi. Papa, lui, il préférerait que je m'inscrive en droit ou en sciences éco. Il dit que

ça serait mieux pour mon CV et que je trouverai plus facilement du travail.
VIOLETTE : Et toi, qu'est-ce que tu veux ?
VALÉRIE : Je crois que j'aimerais gagner ma vie pour être indépendante et pouvoir partager un appartement avec des copines. Tu te souviens de Sylvia ? Elle a arrêté ses études et maintenant elle est serveuse dans le restaurant de ses parents. Je pourrais peut-être travailler avec elle dans un an.
VIOLETTE : Je ne suis pas sûre que tes parents soient d'accord. Tu sais, ils veulent le meilleur pour toi et sur le marché du travail, aujourd'hui, il faut absolument avoir un diplôme universitaire.
VALÉRIE : Je ne suis pas sûre d'avoir envie de faire des études. À quoi ça sert ? Le frère de ma copine a bac plus 5 et il est au chômage.
VIOLETTE : Mais tu es jeune. Tu as le temps pour trouver un travail. Pourquoi tu ne ferais pas une formation en alternance ? Comme ça tu ferais plaisir à tes parents et en même temps tu travaillerais.
VALÉRIE : Oui, tu as peut-être raison. Je vais y réfléchir.

DOSSIER 2 Images

Leçon 7 ■ Nous, journalistes

Piste n° 08, activité 2, page 21

PERSONNE 1 : Écoutez, moi, je pense qu'on juge une personne sur ses actes. Quand on est une personne célèbre, on doit accepter que tous les aspects de sa vie soient révélés à l'opinion publique. C'est la même chose pour les hommes politiques. Alors, pour moi, les journalistes font leur travail quand ils publient des informations sur la vie privée d'un chef d'État.
PERSONNE 2 : Peu importe la fonction d'une personne : tout le monde a droit au respect de sa vie privée. Les journalistes perdent leur temps quand ils publient des informations sur les problèmes de couple des chefs d'État car jusqu'à présent, aucun président n'a perdu la raison pour une histoire de cœur !
PERSONNE 3 : Il y a tellement de sujets plus intéressants ! Personnellement, je ne lis pas les articles sur les histoires de cœur des politiques. En fait, je n'y vois aucun intérêt. Peut-être que certaines personnes se passionnent pour la vie intime des présidents, mais pas moi.
PERSONNE 4 : Parler de sa vie personnelle est un moyen pour les hommes politiques de rétablir le dialogue avec l'opinion publique et ils sont de plus en plus nombreux à se montrer aux journalistes en compagnie de leur famille. On connaît vraiment une personne quand on l'observe en public et en privé, et c'est normal de vouloir connaître la personne qui nous dirige.
PERSONNE 5 : Ce qui me dérange, ce n'est pas le fait de parler de la vie privée des hommes – et des femmes – politiques, mais c'est la répétition d'une même information pendant des jours et des jours. Elle prend une trop grande importance par rapport au reste de l'actualité et ça finit par énerver les gens.

Leçon 8 ■ Médias

Piste n° 09, activité 1, page 24

JOURNALISTE : Les Français passent de moins en moins de temps devant la télévision. En tout cas, depuis le début de l'année, la tendance est très claire : huit minutes de moins devant le petit écran par rapport à janvier-avril 2013. La cause : un hiver particulièrement doux, selon Médiametrie. On reste moins affalé sur son canapé, mais en moyenne vous passez tout de même trois heures quarante-cinq devant la télé et sept minutes sur les smartphones et tablettes. Avec aussi une tendance qui s'accentue chez les jeunes. Eh oui, les jeunes se désintéressent de la télé. Un constat qui n'inquiète pas plus que ça le patron de TF1, Nonce Paolini, invité mercredi de France Info.
NONCE PAOLINI : D'abord, l'avantage des jeunes, c'est qu'ils vieillissent. Vieillissant, ils se marient et il leur arrive d'avoir des enfants et le meilleur baby-sitter qu'on connaisse, c'est encore la télévision.
JOURNALISTE : Une pensée hautement philosophique qui a fait hurler sur les réseaux sociaux mais pas seulement. Jeannine Busson est la présidente de l'association « Enfance – télé : danger ? ».
JEANNINE BUSSON : C'est de la propagande commerciale. C'est dangereux parce que les parents vont y croire. C'est vrai, un bébé, on ne le met pas devant un écran. On n'abandonne pas un bébé devant un écran. Il y a un problème extrêmement grave de dépendance qui peut se créer à partir de là. Un grand danger pour le bébé. Un grand danger pour la relation parents-enfants. Un grand danger pour le développement de cet enfant.
JOURNALISTE : D'ailleurs, si vous pouvez leur éviter la télé jusqu'à l'âge de trois ans, c'est encore mieux selon certains spécialistes.

Piste n° 10, activité 2, page 24

FABIENNE : Bonjour Arnaud. Hier, c'était l'ouverture au centre Pompidou-Metz de l'exposition *Paparazzi ! Photographes, stars et artistes*, dont on parle tant en ce moment. Vous l'avez visitée. Qu'est-ce que vous pouvez nous en dire ?

Transcriptions

ARNAUD : Bonjour Fabienne. Bonjour à tous. L'intérêt de cette exposition, c'est qu'elle pose des questions sur le métier de paparazzi. Le visiteur est tout de suite mis dans le bain, accueilli par une œuvre de l'Irlandais Malachi Farrell intitulée *Interview*. L'installation de l'artiste nous fait vivre une arrivée fictive devant les photographes, avec la foule qui murmure, les appareils qui se mettent en mouvement et les flashs qui crépitent. De quoi nous dissuader d'emblée de devenir une star.
FABIENNE : Alors, la première partie de la visite fait découvrir au visiteur l'envers du décor de ce métier qui est finalement assez peu connu.
ARNAUD : Oui. Comment travaillent-ils ? Dans quelles conditions ? Avec quel matériel ? Il y a là tout l'arsenal de camouflage du paparazzi, comme la bonne vieille tenue de touriste qui vous permet de passer inaperçu.
FABIENNE : Depuis quand cette profession existe-t-elle ?
ARNAUD : Dans les faits, depuis la fin du dix-neuvième siècle, mais le tournant, pour la profession, c'est l'Italie de 1960. Pour son film *La Dolce Vita*, Federico Fellini invente le mot *paparazzi*, qui devient vite la figure de l'antihéros, le double négatif du reporter de guerre, celui qui est prêt à tout, à vendre père et mère pour gagner de l'argent sur le dos des stars.
FABIENNE : Et qu'on le veuille ou non, ces mauvais garçons (parce que ce sont pour l'essentiel des garçons) ont réalisé quelques clichés parmi les plus célèbres du siècle dernier.
ARNAUD : Oui. Des photos volées de femmes, essentiellement, eh oui, Brigitte Bardot, Jackie Kennedy, ou plus récemment Paris Hilton. Ces photographies nous rappellent que les stars sont parfois des victimes consentantes des paparazzi. [...] Tous ces travaux ont en commun cette manière unique qu'ont les paparazzi de photographier sur le vif des instants de vérité. Une vérité futile ou capitale, c'est au visiteur d'en juger.
FABIENNE : Et c'est jusqu'au 19 juin. Merci Arnaud.

Leçon 9 ■ Brassaï

Piste n° 11, activité 2, page 29

LA MÈRE : Qu'est-ce que tu lis ?
GUILLAUME : Le catalogue de l'exposition *Doisneau – Du métier à l'œuvre*, que je suis allé voir aujourd'hui. J'apprends plein de choses que je ne savais pas sur sa vie.
LA MÈRE : Moi, je connais bien sa vie, j'ai lu une biographie. Qu'est-ce que tu ne savais pas ?
GUILLAUME : Eh bien, par exemple, il a été photographe industriel pour le constructeur automobile Renault pendant cinq ans, entre 1934 et 1939. Et avant, il avait été photographe publicitaire.
LA MÈRE : Ah moi, je le savais !
GUILLAUME : Il a ensuite fait beaucoup de reportages photographiques sur différents sujets en France et à l'étranger. Et certains de ses reportages sont même publiés dans des magazines.
LA MÈRE : Oui, il avait déjà fait un reportage avant de travailler chez Renault. Il avait même été publié dans une revue qui s'appelait *L'Excelsior*.
GUILLAUME : Ouah ! T'es trop forte ! Et tu sais en quelle année il a rencontré Blaise Cendrars ?
LA MÈRE : Non, pas exactement, mais il avait déjà quitté Renault, ça c'est sûr !
GUILLAUME : Oui, en 1945. Il n'avait pas encore rencontré Jacques Prévert.

Bilan dossiers 1 et 2

Piste n° 12, activité 1, page 32

TOM : Alors, comment vous avez trouvé cette expo ?
LUCAS : Moi, j'ai beaucoup aimé l'atmosphère qui se dégage de ses photos en noir et blanc. Il y a beaucoup de tendresse et on ressent vraiment l'émotion des gens.
TOM : Et elle a eu une vie passionnante ! J'ai appris plein de choses très intéressantes : je ne savais pas qu'elle faisait partie du courant humaniste, avec Doisneau et quelques autres. Et toi, Virginie, tu ne dis rien ?
VIRGINIE : Oh, moi, j'ai adoré évidemment. J'ai même acheté le catalogue. C'est une photographe dont j'ai beaucoup parlé à mes élèves de quatrième. Ce qui me plaît énormément, c'est qu'elle était vraiment pluridisciplinaire. Elle a fait des photos de voyage, de mode, elle a suivi des hommes politiques. C'est vraiment autre chose que les paparazzi d'aujourd'hui, ces chasseurs d'images à scandale !
LUCAS : Oh ! là, là ! T'as l'air stressée. Qu'est-ce qui se passe ?
VIRGINIE : Je commence à en avoir marre de mon boulot. Enseigner les arts plastiques à des collégiens complètement démotivés et qui n'en ont rien à faire... Je pensais qu'en étudiant l'histoire de la photographie, je pourrais leur parler d'esthétique. Mais pour la plupart d'entre eux, à part mettre leurs photos sur Facebook et retwitter les dernières photos à scandales...
TOM : Tu ne crois pas que tu exagères ? Tu dois seulement trouver des sujets qui les intéressent.
VIRGINIE : Non, je t'assure ! En plus, avec les effectifs

qu'on a dans nos classes, qu'est-ce qu'on peut faire ? Il faudrait qu'on réduise les classes d'un tiers.
TOM : Mais tu as un bon salaire...
VIRGINIE : Tu plaisantes ! En plus, je ne suis qu'en CDD. Pour avoir un CDI, on doit être titulaire d'un master. Il faudrait que je me réinscrive en fac. En fait, je suis en train de penser à me reconvertir dans quelque chose de complètement différent.
LUCAS : Tu devrais y réfléchir à deux fois avant de changer de métier. Tu as la chance de bosser. On est en période de crise, ne l'oublie pas... Si j'étais toi, je resterais prof.
VIRGINIE : Bon. On verra...

Piste n° 13, activité 4, page 33

France Inter, Marc Fauvelle, le 7/9 de l'été.
MARC FAUVELLE : Le zoom de la rédaction avec toute la semaine une série de reportages sur les nouveaux métiers liés aux nouvelles technologies ou tout simplement à nos besoins ou à l'évolution de la société. Bonjour Véronique Juliard.
VÉRONIQUE JULIARD : Bonjour.
MARC FAUVELLE : Vous nous emmenez aujourd'hui chez une jeune entrepreneuse. Elle est concierge, mais pas dans la loge d'un immeuble ni d'un hôtel. Non. C'est un service de conciergerie privée qu'elle propose aux particuliers.
VÉRONIQUE JULIARD : Oui, Magali a 36 ans. Pendant des années, cette jeune femme qui parle couramment l'espagnol a été salariée dans le tourisme. À la fin de l'année 2013, elle décide de créer son entreprise sur une idée finalement toute bête. Dans sa ville, à Montrouge, près de Paris, il y a beaucoup de jeunes actifs qui partent tôt, qui rentrent tard et qui n'ont pas le temps de s'occuper de certaines tâches quotidiennes. Elle décide d'en faire son métier : service d'assistance abordable pour les particuliers. C'est comme ça qu'elle décrit sa nouvelle activité qui répond, elle en est sûre, à un vrai besoin.
MAGALI : C'est venu en fait avec la naissance de ma deuxième fille. L'arrivée de ma deuxième fille a pas mal chamboulé les choses dans notre organisation familiale et professionnelle. J'avais, moi, un travail prenant. Donc on remettait toujours au lendemain et surtout au week-end tout ce qu'on était censé faire, typiquement : le pressing, aller récupérer un colis à la Poste... Donc, en discutant autour de moi, avec des amis, on s'est rendu compte que finalement, voilà, c'était un problème partagé, qu'on courait après le temps. À partir de là, j'ai fait des recherches et je me suis rendu compte qu'il n'existait pas de proposition comme celle-ci : soit c'était vraiment luxe, soit c'était plus tourné service à la personne vers des publics spécifiques. Et voilà. Donc ça a germé comme ça petit à petit. J'en ai parlé autour de moi et mon père m'a dit : « Oh mais ce travail, il existe. Au Pérou, ça s'appelle *tramitadora* »...

DOSSIER 3 Voyages

Leçon 12 ▪ Bonne route !

Piste n° 15, activité 1, page 36

JOURNALISTE : Vous allez peut-être prendre l'avion pour vos prochaines vacances. Or, vous êtes près de 70 % à avoir peur en avion. Alors, aujourd'hui, dans notre chronique « Voyage », nous recevons Sylvain Lambert, dont le livre *Envolez-vous* parle de cette peur. Sylvain, bonjour.
SYLVAIN LAMBERT : Bonjour.
JOURNALISTE : Alors, avant de nous donner des conseils pour ne plus avoir peur en avion, pouvez-vous nous dire si cela concerne un type de passager en particulier ?
SYLVAIN LAMBERT : Pas vraiment. Il y a ceux qui prennent l'avion pour la première fois, mais il y a aussi ceux qui le prennent régulièrement. Il y a ceux qui ont plus ou moins peur selon la taille de l'avion et la distance parcourue. Et puis il y a toutes ces images sur les catastrophes aériennes, celles que les médias diffusent et qui ne rassurent pas les voyageurs.
JOURNALISTE : Alors, que faire concrètement quand on est assis dans l'avion ?
SYLVAIN LAMBERT : Eh bien, d'abord, pour ceux qui sont souvent en retard, il vaut mieux arriver en avance. On évite du stress supplémentaire. Et puis, dans l'avion, parler de son angoisse, ça aide aussi. L'objectif est de se distraire, alors il y a le passager qui écoute de la musique, celui qui lit, celui qui dort, celle qui fait des sudoku...
JOURNALISTE : ... celle qui discute avec le steward ou celui qui ronfle...
SYLVAIN LAMBERT : Oui ! Mais pour ceux dont la peur se transforme en crise d'angoisse, il existe des tranquillisants efficaces...
JOURNALISTE : Eh bien, merci Sylvain pour tous ces conseils à retrouver dans votre livre *Envolez-vous* ! Au revoir !
SYLVAIN LAMBERT : Merci, au revoir.

Leçon 13 ▪ Éthique

Piste n° 16, activité 1, page 40

JOURNALISTE : Du sable, la forêt tropicale et des chimpanzés. Tout ce qu'il manque à la Côte d'Ivoire, ce

sont les touristes. Le gouvernement espère relancer ce secteur grâce à l'écotourisme, tout en sauvant les primates, les derniers d'Afrique de l'Ouest. Visite dans le parc national de Taï avec Lamine Konkobo.
LAMINE KONKOBO : C'est dans les forêts vierges de la Côte d'Ivoire que l'on peut trouver le premier hôtel écologique du pays avec panneaux solaires et eau courante. C'est aussi l'un des seuls endroits au monde où l'on peut voir le chimpanzé d'Afrique de l'Ouest.
JOURNALISTE : La crise sociopolitique a stoppé, en 2002, les activités écotouristiques qui commençaient à produire des résultats, mais maintenant qu'il n'y a plus de problèmes de sécurité en Côte d'Ivoire, les touristes peuvent venir sans crainte. Même si le tourisme redémarre lentement, les habitants du village voisin de Taï sont confiants.
LAMINE KONKOBO : Amé nous montre le terrain qu'il a acheté pour construire son propre hôtel écologique.
AME, UN HABITANT : Mon objectif, c'est de réussir mon pari : avoir un hôtel et que toute la population de Taï profite du tourisme. Pas pour moi, non, pas pour moi seul. Pour tout le monde.
JOURNALISTE : Quand on voit la vue depuis le sommet du parc national de Taï, tous les efforts en valent la peine.

Leçon 14 ■ Destinations

Piste n° 17, activité 1, page 44

MADELEINE : Salut Céline !
CÉLINE : Tiens, Madeleine ! Salut ! Tu vas bien ?
MADELEINE : Très bien. Je rentre de vacances. Je suis reposée et prête à retourner au boulot.
CÉLINE : Tu es partie où ?
MADELEINE : Je suis restée en France, mes parents ont une petite maison en Corse. Bon, ce ne sont pas les vacances dont je rêve, mais je n'ai que le billet d'avion à payer, alors ça ne me revient pas trop cher.
CÉLINE : J'adorerais aller en Corse ! Pour moi, la Corse, c'est un rêve !
MADELEINE : Je comprends : il fait beau, les paysages sont magnifiques. Mais moi, j'y vais tous les ans depuis que je suis petite. Si j'avais assez d'argent, je préférerais me payer un beau voyage !
CÉLINE : Et tu irais où ?
MADELEINE : J'adorerais aller en Asie : le Vietnam, la Thaïlande, le Cambodge... Cette partie du monde me fait rêver ! Tu connais ?
CÉLINE : Je suis déjà allée au Vietnam, et c'est vrai : c'est un pays magnifique ! Je compte aller au Cambodge l'année prochaine.
MADELEINE : Je viendrais bien avec toi...
CÉLINE : Pourquoi pas ?

DOSSIER 4 Nouvelles familles

Leçon 17 ■ Familles

Piste n° 19, activité 2, pages 50-51

JOURNALISTE : Portrait de groupe aujourd'hui avec une grande famille recomposée : trois enfants d'un premier mariage pour la maman, trois pour le papa, plus un autre ensemble, après une rencontre plutôt originale, Evelyne Pique...
EVELYNE PIQUE : Drôle d'endroit pour une rencontre ! C'est dans un avion que Marie, 39 ans, et Kamal, 44 ans, ont échangé leurs premiers regards. Elle était hôtesse de l'air, il était passager.
MARIE : C'était sur un vol Paris-New York, de nuit. Alors que tous les autres passagers dormaient, nous avons discuté. Nous étions chacun divorcés, alors... On ne s'est plus quittés !
KAMAL : Les enfants ont accompagné le couple. Le fait qu'on en ait trois chacun, ça permettait d'équilibrer un peu. Et puis au bout d'un moment, on s'est demandé : « Est-ce qu'on peut avoir un enfant ensemble, malgré la présence de six autres enfants ? »
MARIE : Est-ce que les enfants qu'on avait chacun de notre côté allaient accepter ? Est-ce que ça n'allait pas perturber l'équilibre qu'on avait trouvé ? Et finalement, ils ont tous été vraiment super ! Certes, on forme une famille recomposée, mais une famille quand même. Ses enfants ne seront jamais les miens, et vice versa, mais il y a une affection et un respect qui font que les choses, pour nous, se sont très très bien passées.
EVELYNE PIQUE : Allez, bouche cousue les parents, maintenant, la parole est aux enfants. Par ordre décroissant, voici Adrien, Julie, Chloé, Louis et Nina.
ADRIEN : Déjà, on jongle entre les emplois du temps, comment on va organiser les semaines avec la mère et le père. Donc transplanter les affaires d'une maison à l'autre...
JULIE : Les gens sont étonnés qu'on soit aussi nombreux, ça c'est sûr. Faut expliquer, c'est long, il faut que les gens comprennent qui est l'enfant de qui, faut le répéter plusieurs fois.
CHLOÉ : Quand je dis aux copines « Ah oui, y'a les parents de ma belle-mère », elles disent « Ah, du coup, t'auras plus de cadeaux, ah, t'auras deux Noël, ah, t'auras trois Noël... ».
ADRIEN : Ce qui est vrai !
CHLOÉ : Oui, mais enfin... ce n'est pas si simple que ça...
NINA : D'abord, il fallait faire connaissance, pour savoir un petit peu quel était le caractère de tout le monde. Et puis après, il n'y a pas eu de problème. On

a parfois les mêmes goûts, donc on s'entend bien.
ÉVELYNE PIQUE : Voilà, on a fait le tour des enfants présents ce jour-là. Le petit Louis était chez un copain.

Leçon 18 ■ Solos
Piste n° 20, activité 1, page 54

JOURNALISTE : François Picot, bonjour.
FRANÇOIS PIQUOT : Bonjour.
JOURNALISTE : Vous êtes sociologue et spécialiste de la famille. Et aujourd'hui, avec vous, nous parlons de la famille monoparentale. Alors, pour commencer, quelle est l'origine de ce concept ?
FRANÇOIS PIQUOT : Eh bien, c'est un modèle familial qui a été décrit à partir des années 1970-1980, tout simplement parce que le modèle de la mère qui élevait seule ses enfants était considéré de deux façons vraiment différentes. Vous aviez, d'une part, le modèle très noble de la mère veuve et dévouée, qui se sacrifiait pour élever ses enfants et ne se remariait pas. Et puis, d'autre part, il y avait le modèle ignoble de la fille mère qui était exclue de la famille et de la société. Donc, quand les sociologues ont constaté l'apparition d'un grand nombre de cas avec des mères qui devenaient chefs de famille, il n'y avait pas de raison de ne pas les appeler familles. Et c'est ainsi que le terme de « famille monoparentale » a été créé.
JOURNALISTE : D'accord, mais alors aujourd'hui, ce terme désigne surtout des femmes seules avec leurs enfants, non ?
FRANÇOIS PIQUOT : En fait, alors que la loi, en matière de divorce, a changé et qu'elle favorise plutôt la garde partagée des parents, tous les chiffres montrent que dans la grande majorité des familles monoparentales, c'est la mère qui s'occupe des enfants.
JOURNALISTE : Mais alors est-ce que cela signifie que...

Leçon 19 ■ Évolution
Piste n° 21, activité 2, pages 58-59

JOURNALISTE : Anna est divorcée. Elle a deux enfants et, pendant les vacances, ils passent un mois avec leur père, un mois avec elle. Elle est remariée avec un homme qui a lui-même un enfant. Tous les deux ont prévu d'aller passer quinze jours avec leurs enfants respectifs chez ses parents à lui. Mais les parents de son premier mari sont furieux ; ils font pression sur ses enfants pour qu'ils viennent plutôt chez eux. Alors Anna se demande, Claude Halmos, ce qu'elle doit faire...
CLAUDE HALMOS : Je crois que l'on a affaire là à l'un des innombrables problèmes qui peuvent surgir au moment des vacances dans les familles recomposées.
JOURNALISTE : Alors ce genre de problèmes est fréquent ?
CLAUDE HALMOS : Ce problème-là, pas forcément, mais ce qui est plus que fréquent, ce sont les rivalités entre adultes qui se trouvent multipliées dans les familles recomposées et qui sont très difficiles à vivre pour les enfants parce qu'ils sont en général pris en otages dans ces rivalités.
JOURNALISTE : Alors, vous pensez que les grands-parents des enfants ne sont pas seulement des grands-parents qui ont envie de les voir ?
CLAUDE HALMOS : Que des grands-parents aient envie de voir leurs petits-enfants, c'est légitime. C'est une chose qui s'organise avec les parents et, en cas de divorce, avec chacun d'entre eux. Ce qu'on peut remarquer là, c'est que ces enfants vont être un mois avec leur père et que les parents du père pourraient en profiter pour les voir. Or, c'est à leur mère qu'ils s'adressent pour qu'elle les leur confie... C'est quand même un peu bizarre.
JOURNALISTE : Comment pensez-vous que l'on puisse expliquer ça ?
CLAUDE HALMOS : Je n'en sais rien parce que je ne connais pas cette famille. Mais ça peut être une histoire où ces grands-parents en veulent à la mère des enfants et désapprouvent son remariage avec l'idée que les enfants vont s'attacher à son nouveau compagnon en délaissant leur père, et du coup vont délaisser aussi les parents de leur père, c'est-à-dire eux.
JOURNALISTE : Alors que peut faire notre auditrice ?
CLAUDE HALMOS : Discuter avec ces grands-parents, bien sûr, et surtout discuter avec son ex-mari pour qu'il protège ses enfants, et puis maintenir ses vacances comme elle les a prévues.
JOURNALISTE : Retrouvez-nous sur franceinfo.fr. Cliquez sur « Chroniques », « Samedi » puis « Savoir-être », et posez vos questions à la psychanalyste Claude Halmos.

Bilan dossiers 3 et 4
Piste n° 22, activité 1, page 62

STÉPHANIE : Eh ! Salut Ingrid, qu'est-ce que tu fais là ?
INGRID : J'étais au Salon du tourisme, et toi ?
STÉPHANIE : Je vais à la fac. J'habite en coloc depuis la rentrée. C'est tout près d'ici.
INGRID : Alors, quoi de neuf ?
STÉPHANIE : Ma mère va se marier.
INGRID : Ah bon ? Elle a quitté ton beau-père ?

Transcriptions

STÉPHANIE : Au contraire : Hamid et elle ont décidé d'officialiser leur situation.
INGRID : C'est vrai ? Mais ça fait combien de temps qu'ils vivent ensemble ?
STÉPHANIE : Ma petite sœur Sylvia va avoir cinq ans le mois prochain et ils étaient ensemble depuis déjà deux ans.
INGRID : Et ton frère ? Comment il prend ça ?
STÉPHANIE : Pas trop mal, je pense. Quand maman a connu Hamid, ça faisait deux ans que papa et elle avaient divorcé. On passait un week-end sur deux avec lui et Léo voulait toujours rester avec papa. Donc au début, quand Hamid s'est installé à la maison, Léo lui faisait la gueule tout le temps. Mais ça s'est calmé, je crois qu'ils s'entendent bien maintenant et puis, papa est de nouveau en couple : tout se passe bien et il est heureux.
INGRID : Tant mieux !
STÉPHANIE : Oui… Alors maintenant, on est en train de réfléchir au cadeau qu'on pourrait faire à maman et Hamid, mais ce n'est pas facile…
INGRID : Écoute, je sors du Salon du tourisme et j'ai vu des trucs plutôt sympas. Si vous pouviez, je pense que ça serait super de leur offrir un voyage.
STÉPHANIE : Mais c'est génial comme idée ! En plus, c'est pendant un voyage en Indonésie qu'ils se sont rencontrés. Je vais en parler à mes oncles et tantes… Mon bus arrive. Je te laisse. On s'appelle !

Piste n° 23, activité 4, page 63

JOURNALISTE : Et cette fois-ci, nous sommes en compagnie de Florence. Pour la première fois, cette Stéphanoise a choisi de faire un voyage écosolidaire. Elle s'apprête à partir en famille quinze jours au Vietnam.
FLORENCE : Alors ce que j'attends, moi, c'est surtout les paysages magnifiques, le calme. J'aime pas trop quand il y a trop de touristes. Moi, ce que je recherche, c'est pas forcément les temples, les choses comme ça, c'est d'être le plus près des gens, et c'est ce qui m'attirait dans cette petite agence que j'ai trouvée sur Internet. Il y a un pourcentage de notre voyage qui va dans ces villages pour pouvoir faire un peu de développement au niveau de l'école, etc. C'est vraiment deux jours sur Hanoi et sur la baie d'Along, et le reste du temps, c'est en immersion totale avec les villageois. Tous les quatre, on est impatients de partir.
JOURNALISTE : Et après deux semaines passées au Vietnam…
FLORENCE : Superbe ! Génial ! Pas un touriste ou quasiment pas. C'était loin des grandes villes… les nuits chez l'habitant… et on vit un peu à leur rythme…

RACHEL : Tu ne penses pas que ça pourrait leur plaire, ce type de voyage ?
SIMON : Tu crois pas qu'on devrait plutôt leur offrir un séjour dans un club, pour qu'ils passent une semaine au calme, en amoureux ?
RACHEL : C'est ce que j'ai dit à Stéphanie au téléphone, mais elle est convaincue qu'un voyage leur rappellerait leur rencontre. Je pense qu'elle a raison. Je suis sûre qu'ils adoreraient un circuit où ils pourraient à la fois faire du tourisme et rencontrer des associations locales.
SIMON : C'est quoi, le nom de cette agence ?
RACHEL : Zut, j'ai pas entendu. Je vais regarder sur Internet le programme de France Info. Ils doivent bien donner le nom de l'agence.

DOSSIER 5 Un corps parfait
Leçon 22 ■ Saga des pubs
Piste n° 25, activité 2, page 67

MONICA FANTINI : Savez-vous comment l'eau potable arrive tous les jours aux robinets des Parisiens ? Comment 478 millions de litres d'eau circulent tous les jours dans Paris ? Imaginez-vous seulement à quoi cela correspond. Avec cette quantité d'eau, on pourrait, par exemple, remplir près de quatre millions de baignoires. Connaissez-vous les fontaines à boire dans les rues et les parcs de Paris ? Voulez-vous suivre le fil de l'eau ? Oui ? Un réseau d'aqueducs de cent cinquante kilomètres construit il y a plus d'un siècle conduit l'eau des rivières et les eaux souterraines aux portes de Paris. L'eau est purifiée dans des usines spécialisées et ensuite stockée dans d'immenses réservoirs. Le plus ancien d'entre eux est celui de Montsouris, dans le sud de la capitale.
HOMME : Donc là, on arrive directement dans les réservoirs. La source baisse. On voit les entrées dans le réservoir.
MONICA FANTINI : Il faut se baisser et lever les yeux pour voir les entrées d'eau. Il faut aussi imaginer une cathédrale en pierre remplie d'or bleu enfoncée dans la terre avec ses voûtes et ses arcades et près de deux mille piliers pour la soutenir. Mais l'eau chemine encore. Sous les pavés parisiens se cachent près de deux mille kilomètres de canalisations. Du premier au vingtième arrondissement, c'est bien sous nos pas que l'eau circule tous les jours pour arriver aux robinets des Parisiens.

Transcriptions

Leçon 23 ■ À la plage
Piste n° 26, activité 1, page 70

Sable, soleil, mer, les Français sont de vrais fanatiques de plage ! Selon une récente étude qui analyse les comportements des vacanciers, 67 % des personnes interrogées sont parties au bord de la mer au cours des douze derniers mois. Et très important : la plage doit être calme pour 92 % d'entre eux et en France pour la grande majorité. Pour 60 % des Français, ce moment à la plage est apprécié car il permet de passer plus de temps avec ceux qu'on aime. Pour beaucoup, c'est aussi le meilleur moyen de se reposer pour récupérer d'une année de travail et faire le plein de vitamine D. Côté activités, quand ils ne sont pas dans la mer en train de nager ou de jouer avec les vagues, ils sont 69 % à apprécier la marche dans le sable. La lecture arrive en troisième position des activités préférées, suivie par l'exposition au soleil et/ou la sieste sur une serviette.

Piste n° 27, activité 5, page 72

a La fête a été organisée trop tard.
b Brûlée par le soleil, elle est allée voir un médecin.
c Nous sommes partis à cinq heures.
d Il s'est exposé au soleil toute la journée.
e Cet enfant était très aimé.
f Elle est devenue célèbre très jeune.
g Cette plage est très appréciée.
h Ce film, réalisé il y a deux ans, est un chef d'œuvre.

Leçon 24 ■ Le bikini
Piste n° 28, activité 2, page 75

C'est en 1962 qu'une jeune Anglaise, Mary Quant, crée et commercialise à Londres la première minijupe. C'est pour donner aux femmes une plus grande liberté de mouvement que cette jeune autodidacte décide de couper les jupes au-dessus du genou. Ce fut une véritable révolution. La minijupe devint alors le symbole de la libération et de la rébellion des femmes. En France, c'est le grand couturier André Courrèges qui introduisit la minijupe à l'occasion de son défilé de 1965. Mais il reçut cependant de nombreuses critiques. Coco Chanel le jugea très sévèrement car, pour elle, la minijupe donnait une très mauvaise image de la femme. Montrer ses genoux et ses cuisses était indécent. Jugée trop provocante, la minijupe sera interdite aux Pays-Bas pendant quelques mois. Mais à l'image de la culture britannique pop, elle va très vite s'imposer dans le monde entier et on la retrouvera dans toutes les révolutions de mai 1968.

DOSSIER 6 Êtes-vous *geek* ?
Leçon 26 ■ Envoyé spécial
Piste n° 29, activité 5, page 79

a En ce moment, à la maison, le téléphone de la chambre est déconnecté.
b La commande de la caméra de surveillance est en panne.
c Voici une dizaine de conseils simples à suivre pendant les prochaines vacances.
d La maison connectée du futur nous préviendra au quotidien.
e Sur la télécommande, la fonction « avance lente » ne fonctionne plus.

Leçon 27 ■ Robots et compagnie
Piste n° 30, activité 2, page 80

Réfrigérateur, chauffage, lave-linge... Tout sera bientôt connecté à la maison. Les géants de l'électronique rassemblés au salon IFA de Berlin ne parlent que de cela : la « maison intelligente ». Alors, c'est pas vraiment nouveau, jadis on appelait ça la domotique. Mais le mot n'est pas très joli et puis c'était plus compliqué, il fallait tirer des câbles dans toute la maison. Aujourd'hui, tout a changé. Grâce au smartphone, à la tablette et à l'Internet sans fil. Alors, à Berlin, j'ai pu voir par exemple une application mobile qui sait exactement ce que vous avez dans votre réfrigérateur et qui vous prévient lorsque les aliments sont proches de la date de péremption. En théorie, l'appli peut même vous conseiller des recettes de cuisine en fonction de ce qui reste dans le frigo. Il y a aussi le lave-linge connecté qui vous alerte sur votre smartphone s'il y a un problème technique, qui peut contacter directement le réparateur et qui vous envoie une notification lorsque la lessive est terminée. Bon, malheureusement, il ne sait pas l'étendre tout seul. Tout cela est séduisant, mais ce n'est pas très nouveau, ça fait longtemps qu'on en parle. Eh oui, l'idée est ancienne, et pourtant, en Asie, c'est encore peu développé, en Europe, pas du tout. Pourquoi ? Eh bien, parce qu'il faut des normes communes et un langage informatique commun. Il faut que l'on puisse utiliser chez soi des machines de différentes marques, évidemment. Alors aujourd'hui où en sommes-nous ? Eh bien, les choses avancent. Google a absorbé Nest, une petite société qui fabrique des thermostats et des alarmes incendie connectés. L'un des cocréateurs de Nest estime qu'il ne faut même plus parler de « maison connectée » mais carrément de « maison consciente » : une maison qui adaptera la température à vos modes de vie en apprenant toute seule à quel moment vous partez le matin et quand vous rentrez le soir. Bref, une maison qui saura tout de vous avant vous.

Leçon 29 ■ Flagship Fnac

Piste n° 31, activité 1, page 88

JOURNALISTE : Et tout de suite, la chronique high-tech de Cécile Lefébure.
CÉCILE LEFÉBURE : Assis sur votre canapé, vous lisez le journal sur votre tablette tactile en écoutant de la musique au format MP3 qui sort des enceintes Bluetooth connectées à votre ordinateur. Tout à coup, vous levez les yeux : à travers la fenêtre, vous avez cru apercevoir quelque chose. Impossible ! Un engin volant ! Vous courez vers la fenêtre et là, votre monde bascule, vous apercevez… un drone ! L'univers, tel que vous le connaissiez, n'existe plus. Ils ont déjà débarqué ! Mais qui sont-ils ? Ce sont les connectés, les numériques, les HD et les 3D. Vous décidez alors de sortir pour aller à leur rencontre. Sur le palier, vous croisez votre voisine qui sort de chez elle et porte un manteau avec un GPS intégré. Vous criez « bonjour » à travers la porte d'un voisin pour couvrir le bruit de l'aspirateur et quand la porte s'ouvre, vous réalisez que vous venez de saluer un robot aspirateur. Dehors, vous tombez sur une créature qui descend la rue à toute vitesse. Est-ce un extraterrestre sans oreille et à trois yeux ? Non, c'est un skater équipé de son casque Beats et d'une caméra GoPro fixée sur la tête. Ils ont débarqué, et vous ne le saviez pas !

Bilan dossiers 5 et 6

Piste n° 32, activité 1, page 92

LAËTITIA : Salut Émilie, alors, tu es prête ? On va courir ?
ÉMILIE : Ah, Laëtitia… Tu es déjà là… Tu sais, je me sens raplapla aujourd'hui…
LAËTITIA : J'étais sûre que tu dirais ça. Mais ce n'est pas en restant dans ton vieux fauteuil que tu te sentiras mieux et que tu rencontreras l'homme de ta vie ! Te remettre au sport t'aidera à être en forme. Allez, on y va !
ÉMILIE : Bon, j'arrive… Mais laisse-moi prendre une bouteille d'eau…
LAËTITIA : Voilà… C'est fini !
ÉMILIE : Ouf ! Je suis morte… Comment tu fais pour être en forme comme ça ?
LAËTITIA : Eh bien, je fais du sport, je fais gaffe à ce que je mange et je bois beaucoup d'eau.
ÉMILIE : Tu ne me feras pas croire que l'eau te donne cette vitalité… Tout ça, c'est du marketing ! Qu'est-ce que tu regardes sur ton portable ?
LAËTITIA : J'ai une application qui m'indique la distance parcourue. Et là, on a couru 5,4 kilomètres.
ÉMILIE : Ah, et c'est vraiment intéressant, cette appli ?
LAËTITIA : Oui, tu devrais l'installer sur ton smartphone, elle t'aiderait à mieux t'occuper de ta santé. Tu enregistrerais tes performances et tu mesurerais tes progrès en faisant attention à ton cœur. Je crois que ça te motiverait pour te bouger un peu plus… Il y a aussi les bracelets connectés grâce auxquels on peut connaître son rythme cardiaque.
ÉMILIE : Bof, on reçoit peut-être plein d'informations sur notre corps, mais j'ai l'impression que tous ces objets connectés sont des gadgets…
LAËTITIA : Tu te trompes ! Les objets connectés connaissent une véritable explosion et on ne pourra bientôt plus vivre sans eux. Vis avec ton époque ! Les objets du futur seront tous connectés ! D'ailleurs, pour mon prochain projet, je dois réaliser une pub pour un bracelet connecté. J'espère que j'arriverai à te convaincre de son utilité !
ÉMILIE : Ouais… Bah, ce n'est pas gagné…
LAËTITIA : Bon, en tout cas, aujourd'hui, je suis contente que tu aies couru avec moi ! Tu verras, dans trois mois, à nous la plage, le soleil et les bikinis !

Piste n° 33, activité 4, page 93

C'est dans le domaine de la santé que l'on trouve le plus grand nombre d'objets connectés. Il faut dire que les données physiologiques humaines constituent un formidable champ d'investigation. Les paramètres à surveiller sont nombreux et la technologie permet aujourd'hui de quantifier tout cela en temps réel. C'est le fameux phénomène de l'automesure (en anglais : *quantified self*). Alors, il y a tout d'abord par exemple le pèse-personne connecté qui enregistre votre poids au jour le jour et vous permet de retrouver les données sur votre mobile via une application dédiée. Cela va même plus loin avec la mesure du rythme cardiaque par les pieds (oui, ça marche), du taux de CO_2 dans la pièce ou encore de l'annonce du temps qu'il va faire dans la journée. Et puis, des appareils assez étonnants sont également en préparation comme un scanner médical qui prend en un instant la température, le pouls et la tension. À condition de ne pas en abuser et de ne pas en devenir esclave, ces appareils servent donc à mieux surveiller sa santé au quotidien en effectuant de petits examens qui nécessitaient jadis la présence d'un

médecin. Le médecin intervient après pour analyser toutes ces données.
Au rayon bien-être, signalons le système Aura de Withings, censé surveiller votre sommeil pour l'améliorer et le rendre plus doux grâce à des lumières connectées, ou encore le bijou connecté June du Français Netatmo pour surveiller votre exposition au soleil.
Pour finir, n'oublions pas la brosse à dents connectée qui vous dit si vous vous brossez bien les dents et la fourchette connectée qui vibre si vous mangez trop vite, mais que l'on attend toujours depuis sa présentation au CES 2013 de Las Vegas.

DOSSIER 7 Croyances

Leçon 31 ■ Superstitions

Piste n° 34, activités 7 et 8, page 95

a Il y a des superstitions qui ont des origines religieuses.
b Je ne crois pas qu'il y ait un siège numéro treize dans cet avion.
c Jeanne n'est pas aussi superstitieuse que sa jeune sœur.
d Yannick ne voyage jamais sans sa patte de lapin.
e Hier, on était vendredi treize. Jérôme a acheté un billet de loto.
f Contre le mauvais sort, tu dois jeter une cuillerée de sel aux quatre coins de la pièce.

Leçon 32 ■ Croyances populaires

Piste n° 35, activité 1, page 96

ÉLODIE : Écoute ça : « Des millions de joueurs vont tenter leur chance aux jeux de grattage ou à la loterie vendredi 13 juin. Près de 135 millions d'euros sont en jeu à l'Euro Millions. » 135 millions d'euros, tu te rends compte de ce qu'on pourrait faire avec tout cet argent !... Incroyable, y en a qui ont vraiment du pot ! « Un couple en Gironde a gagné le deuxième plus gros gain de l'histoire du loto le mois dernier : 23 millions d'euros. »
CRISTINA : Moi, je me contenterais de ça !
ÉLODIE : Attends, c'est pas tout ! « Il avait déjà empoché 100 000 francs il y a quelques années. »
CRISTINA : C'est pas à moi que ça arriverait, ça !
ÉLODIE : Tu veux pas qu'on joue vendredi ? On met chacune 5 euros ?
CRISTINA : Tu crois vraiment qu'on a plus de chance un vendredi treize ? Je ne savais pas que t'étais superstitieuse !

ÉLODIE : J' suis pas superstitieuse. Mais on a le droit de rêver un peu, non ?
CRISTINA : Ah oui ? Et la fois où tu m'as fait changer de trottoir parce que tu ne voulais pas passer sous une échelle... ?
ÉLODIE : En tout cas, c'est sûr que si on joue pas, on n'a aucune chance de gagner !

Leçon 33 ■ Nouvelles croyances

Piste n° 36, activité 2, page 100

a Une église pour Michael Jackson ? C'est complètement ridicule !
b N'importe quoi ! Les gens ne savent vraiment plus quoi inventer !
c Je trouve que c'est plutôt une bonne idée. Les fans pourront se réunir pour communier avec leur idole.
d Les gens ne savent plus en quoi croire, alors ils transforment un chanteur en dieu. C'est incontestablement de la folie !
e C'est une idée absolument géniale ! Je suis pour à 100 % !
f C'était une véritable icône de son vivant, déjà, alors pourquoi ne pas en faire un dieu ? Franchement, ça me semble bien.

Leçon 34 ■ Religions

Piste n° 37, activité 1, page 104

Une église vendue à un euro en Belgique, une autre transformée en spa ou en magasin de meubles de luxe à Montréal. Une chapelle transformée en boîte de nuit ou en restaurant en Angleterre... Comme on ne peut plus entretenir le patrimoine religieux dans la plupart des pays occidentaux, on le vend à très bas prix. Mais pourquoi ?
Parlons du cas des églises. Bien que l'on constate le même phénomène pour les synagogues et les temples protestants, les mosquées ne sont pas concernées. Pour les églises, la première raison, c'est qu'elles se vident. De moins en moins de croyants vont à la messe du dimanche pour faire vivre ces lieux. De plus, les églises coûtent cher en entretien. C'est le cas de Montréal, qui s'est fait une spécialité dans la vente ou la reconversion des églises. Comme elles sont la propriété des paroisses, lorsqu'elles ferment, elles se retrouvent en vente immédiatement. Si bien que des associations caritatives rachètent ces lieux pour les transformer en bibliothèque ou en restaurant du cœur. C'est aussi un marché intéressant pour les promoteurs immobi-

liers qui achètent une église 250 000 dollars pour la transformer en loft de luxe, en salle de sport, en bar branché ou en maison de retraite. Habiter une église est devenu tendance à Montréal comme en France. Selon l'Observatoire du patrimoine religieux, le phénomène n'est pas nouveau mais il s'amplifie.

Piste n° 38, activité 7, page 106

a Vous auriez pu vous marier religieusement !
b Nous aurions aimé visiter un temple bouddhiste.
c Tu n'aurais pas dû abandonner le yoga.
d Ils auraient pu au moins demander l'avis des habitants.
e J'aurais voulu assister à la conférence sur les nouvelles croyances.
f Vous auriez aimé vous initier à la méditation.
g Tu aurais pu faire un effort pour Noël.
h J'aurais aimé que tu voies le film *Qu'est-ce qu'on a fait au bon Dieu ?*

DOSSIER 8 — Les Français

Leçon 37 ■ Représentations

Piste n° 39, activité 1, page 110

FRANCISCO : Moi, j'aime le goût des Français pour la culture : ils lisent beaucoup, ils s'intéressent au théâtre et à la musique... En revanche, les Français râlent souvent. En fait, ils sont assez stressés, en tout cas à Paris. En général, je trouve qu'ils ne font pas beaucoup d'efforts pour accueillir les étrangers, même dans les endroits touristiques. Ils manquent parfois d'ouverture d'esprit.

PATRICIA : Paris est une ville magnifique. Chaque quartier a sa propre identité. C'est ma première visite en France et j'adore ! Mais c'est très difficile quand on ne parle pas français. J'ai même l'impression que les Français n'aiment parler que leur langue. Ce que je pense des Français en général ? Eh bien, je trouve qu'ils sont tous bien habillés. J'aime bien aussi leur nonchalance et leur douceur de vivre.

ALISON : Alors moi, c'est simple : j'adore les vins et les fromages. Les Français ont une gastronomie fantastique. J'ai déjà dû prendre quelques kilos depuis que je suis là. Par contre, je trouve les Français vraiment sales ! Ils jettent des papiers n'importe où. Il y a aussi des crottes de chiens partout dans les rues. En général, ils ne sont pas très polis et ils sont même assez froids. Disons que j'ai eu quelques mauvaises expériences. Mais ils parlent plutôt bien anglais. C'est assez étonnant, car on m'avait dit le contraire.

Leçon 38 ■ Étrangers en France

Piste n° 40, activité 1, page 114

STÉPHANE LAGARDE : Même lorsqu'ils sont confrontés à des difficultés matérielles, même quand le premier contact avec l'administration peut s'avérer délicat, c'est la principale surprise de cette enquête : les étudiants étrangers en France sont globalement satisfaits. Rida Ennafaa, directeur de l'Observatoire de la vie étudiante à l'université Paris 8.

RIDA ENNAFAA : Ils sont satisfaits d'avoir pu réaliser leur projet initial, qui était de venir étudier et de faire des études en France.

ÉTUDIANTE CHINOISE : On peut dire que c'est mon rêve... pour venir en France... J'aime bien la cuisine française. J'aime bien fromage.

STÉPHANE LAGARDE : Inscrite au conservatoire, Jen Seng est prête à se passer de dessert pour étudier à Paris, à l'image d'ailleurs des 16 000 étudiants chinois sur le territoire, dix-sept fois plus nombreux qu'il y a dix ans. La preuve d'une plus grande mobilité, selon Saeed Paivandi, co-auteur de l'étude.

SAEED PAIVANDI : Il y a une vraie dynamique migratoire parmi la jeunesse d'aujourd'hui, dans le monde entier ; c'est-à-dire ils voyagent avec Internet et le voyage à l'étranger n'est pas vraiment une étrangeté comme c'était, par exemple, il y a cinquante ans.

ÉTUDIANT : Il y a beaucoup de bourses, les aides, l'assurance maladie, et il y a beaucoup de travail aussi, de petits boulots.

STÉPHANE LAGARDE : Heureusement pour les deux étudiants sur trois contraints de travailler pour financer leurs études. La vie est chère dans les grandes villes en France, trop chère. Alissa, harcelée de questions à l'accueil de la Cité universitaire à Paris.

ALISSA : Où acheter... un sèche-linge ? Donc ça, c'est les questions les plus drôles. Après, les questions les plus difficiles, c'est quand même le logement.

STÉPHANE LAGARDE : Le prix du loyer est l'une des principales difficultés pour 48 % des 1 700 étudiants interrogés. Fabio Machado Pinto arrive du Brésil, doctorant en sciences de l'éducation.

FABIO MACHADO PINTO : Le coût de vie d'ici, c'est très cher. Louer, c'est impossible : vingt mètres carrés à Paris, 700 euros... Bon, il a aussi une chose simple : le sourire, par exemple. Même à la boulangerie...

STÉPHANE LAGARDE : L'absence de sourire dans les commerces et plus sérieusement aux guichets de certaines administrations : autant d'améliorations à réaliser si la France veut se maintenir au quatrième rang derrière les États-Unis, l'Allemagne et l'Angleterre

pour le nombre des étudiants étrangers. Saeed Paivandi.
SAEED PAIVANDI : On sait qu'en France, il y a à peu près 15 % des étudiants à l'université qui sont étrangers. Mais si on regarde par cycle, 33 % des étudiants inscrits en troisième cycle en doctorat sont étrangers. C'est-à-dire, aujourd'hui, la recherche française est très largement investie par les étrangers ; c'est-à-dire, dans certaines disciplines scientifiques, si on enlève les étrangers, il n'y a pas assez de recrutements nationaux. Aujourd'hui, l'étudiant étranger est considéré comme un élément de la dynamique universitaire incontournable.
STÉPHANE LAGARDE : Depuis huit ans, la proportion d'étudiants étrangers en France a augmenté de 75 %.

Leçon 39 ■ Le français

Piste n° 41, activité 6, page 121

Exemple : J'adore la langue française !
Il a dit qu'il adorait la langue française.

a Elle étudiera le français à l'université.
   Elle a dit qu'elle étudierait le français à l'université.
b J'ai lu un livre génial.
   Il a dit qu'il avait lu un livre génial.
c Je déteste la grammaire.
   Elle a dit qu'elle détestait la grammaire.
d Nous irons en France pour les vacances.
   Il a dit qu'ils iraient en France pour les vacances.
e Le 14 Juillet, c'est la fête nationale.
   Il a dit que le 14 Juillet, c'était la fête nationale.
f Nous parlons français.
   Ils ont dit qu'ils parlaient français.

Bilan dossiers 7 et 8

Piste n° 42, activité 1, page 122

CÉDRIC : Leonardo, je te présente Vanessa, l'amie de Jonathan. LEONARDO : Enchanté !
VANESSA : Enchantée ! J'entends souvent parler de toi. Ton séjour en France se passe bien ?
LEONARDO : Super ! Je suis dans ce pays depuis seulement trois semaines, mais j'ai déjà appris plein de trucs... Je ne regrette vraiment pas d'être venu faire mes études de journalisme ici. Mais, dis-moi, où est Jonathan ? Il fait la grasse matinée ?
VANESSA : Bah non, il travaille tous les dimanches matins. Il ne viendra pas au brunch.
LEONARDO : Ah bon, je ne savais pas qu'il bossait aujourd'hui... On m'a dit que le dimanche était un jour de repos en France, non ?
CÉDRIC : C'est un grand débat. Certains réclament l'ouverture des magasins ce jour-là pour l'économie, d'autres s'y opposent parce que c'est traditionnellement un jour de repos...
VANESSA : Ouais... Mais l'esprit religieux du dimanche disparaît. Les Français vont de moins en moins à la messe le dimanche... Et en plus, il n'y a pas que des catholiques en France. Il y a aussi des musulmans et des juifs. Alors, pour satisfaire tout le monde, c'est compliqué.
LEONARDO : Moi, ce que je trouve génial, en France, c'est que vous débattez de tout et vous êtes toujours très engagés dans les débats publics même si vous râlez souvent et que vous êtes les champions de la grève.
VANESSA : C'est un peu un cliché, ça, tu ne crois pas ? Au fait, Jonathan m'a dit que tu préparais un dossier sur les Français... J'espère que tu ne vas pas faire de nous un portrait plein de stéréotypes...
LEONARDO : Ne vous inquiétez pas ! Je rencontre beaucoup de gens pour ce travail, des Français et des étrangers qui vivent en France. C'est franchement intéressant !
CÉDRIC : En tout cas, tu parles plutôt bien notre langue ! Tu l'as apprise où ?
LEONARDO : Oh, merci. J'ai commencé au Brésil et puis j'ai passé des vacances en Martinique. Après la France, j'aimerais aller en Afrique, au Sénégal par exemple.
VANESSA : Bon, je propose qu'on trinque en l'honneur de Leonardo, en lui souhaitant un bon séjour en France !
CÉDRIC : D'accord ! À Leonardo !
LEONARDO : Merci...
VANESSA : Attention, il ne faut pas croiser les verres, ça porte malheur !

DELF B1

Piste n° 43, exercice 1, page 126

NOÉMIE : Salut Simon, comment vas-tu ?
SIMON : Plutôt bien, je te remercie, et toi ?
NOÉMIE : Un peu fatiguée et stressée : c'est ma semaine de partiels à la fac et je n'arrête pas d'étudier à la maison.
SIMON : Il faut un peu t'aérer le cerveau ! Pourquoi tu ne viendrais pas chez Louis samedi soir ? Tu sais qu'il a emménagé avec sa nouvelle famille ?
NOÉMIE : Sa nouvelle famille ?
SIMON : Oui, tu sais, il était divorcé depuis plusieurs années et il s'est remarié il y a trois mois avec une femme qui, elle aussi, a deux enfants, deux filles !
NOÉMIE : Ah non, je ne savais pas qu'il s'était remarié.

Transcriptions

C'est chouette ! Mais, dis donc, ça fait une grande famille... Quatre enfants ! J'espère qu'ils ont emménagé dans une grande maison !
SIMON : Oui, ils ont trouvé une maison en banlieue, dans un quartier très calme. Leur maison est vraiment belle et très grande : chaque enfant a sa chambre !
NOÉMIE : Et ça se passe bien entre tous les membres de la famille ?
SIMON : Au début, Louis m'a dit que c'était difficile, car les quatre enfants ne s'entendaient pas bien. Mais, apparemment, ça va beaucoup mieux. Ils ont discuté de cette nouvelle vie à six et tout est rentré dans l'ordre.
NOÉMIE : C'est important pour les enfants de discuter de leur situation, c'est vrai. Je suis contente pour Louis ! Écoute, ça me ferait plaisir de le revoir et de connaître sa nouvelle femme, donc oui, j'accepte ta proposition pour samedi soir !
SIMON : Sage décision !

Piste n° 44, exercice 2, pages 126-127

JOURNALISTE : Aujourd'hui, nous recevons dans notre émission le docteur Christophe Fauré, psychiatre et psychothérapeute, qui vient de publier un livre intitulé *Comment t'aimer, toi et tes enfants ?*, aux éditions Albin Michel. Docteur, bonjour. Vous écrivez dans votre livre qu'il y a un vrai défi de la famille recomposée. Pouvez-vous nous en dire plus ?
CHRISTOPHE FAURÉ : Bonjour. Oui, en effet, il s'agit des mêmes difficultés que celles qu'on vit dans une famille de sang, mais je parle de défi car elles sont plus développées dans les familles recomposées. Le premier obstacle auquel sont confrontés les couples des familles recomposées est celui du temps. En effet, l'homme et la femme qui décident de vivre ensemble aujourd'hui avant de concevoir un enfant et de devenir parents ont quelques années devant eux ; ce n'est pas le cas d'une famille recomposée. Les couples sont plus récents. Ils ne se connaissent le plus souvent que depuis trois à six mois au moment où ils emménagent ensemble. Ils ont donc à nourrir leur lien amoureux et à construire une famille en même temps : ce n'est pas facile du tout !
JOURNALISTE : Dans quels domaines particuliers les conflits arrivent-ils ?
CHRISTOPHE FAURÉ : D'abord, l'autorité. Dans la famille recomposée, les enfants ne prennent pas en considération l'autorité du beau-père ou de la belle-mère. L'autorité de ces derniers n'est pas légitime au regard des enfants. Le problème se pose surtout avec les adolescents, qui prennent plaisir à mener la vie dure au beau-parent. Parfois, ils ont même les encouragements de l'ex de leur père ou de leur mère, qui est toujours plus ou moins présent à travers les questions de garde d'enfants, de finances, de pension alimentaire, etc. Ensuite, il peut aussi y avoir de la concurrence entre les enfants des deux familles, entre le beau-père et le père naturel, entre la belle-mère et la mère naturelle... Et tous ces niveaux de compétition, de concours, peuvent provoquer des situations explosives.
JOURNALISTE : Pourtant, dans votre livre, vous montrez aussi les multiples richesses qu'une telle aventure peut apporter ?
CHRISTOPHE FAURÉ : Oui, heureusement ! On peut voir combien chaque individu peut gagner à vivre au sein d'une famille recomposée. Pour l'enfant, avoir dans sa vie un adulte qui n'est ni « papa » ni « maman » et qui peut lui proposer une autre vision du monde est un plus. Pour le parent, découvrir qu'il est possible de reconstruire une famille après une rupture et en donner la preuve à ses enfants a beaucoup de valeur. Quant au nouveau couple, bien sûr, c'est une réelle preuve d'engagement et d'amour entre eux.
JOURNALISTE : Alors, pour réussir cette aventure, quel conseil donneriez-vous aux couples des futures familles recomposées ?
CHRISTOPHE FAURÉ : Être conscient des conflits possibles au sein de la nouvelle famille et les anticiper. Oser parler d'argent, des relations avec l'ex-conjoint, de l'autorité ou pas à exercer avec les enfants de l'autre... Tous ces sujets dont il n'est pas toujours agréable de parler doivent être discutés avant même que l'aventure ne commence.

Texto 3 – Cahier d'activités — Corrigés

DOSSIER 1 Au boulot !

Leçon 1 ■ Le bac

1 le stress : stresser / combattre / alterner / bosser - l'apprentissage : réfléchir / chercher / se concentrer / savoir
2 a se détendre – b faire une pause – c avoir sommeil – d s'organiser
3 a savoir – b alterner – c se concentrer – d combattre – e réfléchir
4 m'organise – travaille – me détende – stressé – tenir un planning – révisions – fiches – stress – méthode – tout au long de l'année – examen – repose le week-end – réussir – avoir – passe – échoue
5 travailler – un petit travail – une société – le patron – travail
6

C	B	M	E	T	H	O	D	E	Ç
S	R	D	Ç	W	W	P	B	R	S
D	É	T	E	N	D	U	S	E	T
A	Z	M	B	J	A	G	U	S	R
M	A	N	G	E	R	A	C	P	E
R	S	F	Z	L	Ç	Ç	I	I	S
E	S	R	E	L	A	X	E	R	S
C	O	N	C	E	N	T	R	É	E
I	F	F	J	G	B	P	J	R	R
R	E	T	A	R	D	D	F	Z	M

Leçon 2 ■ Diplômes

1 a 2,39 millions. – b Faux : il y a 1,5 % d'étudiants en plus en 2012. / « Le taux de réussite au baccalauréat augmente chaque année, et la pression sociale en faveur des études supérieures est très forte. » – c Aux écoles d'ingénieurs. – d Vrai : « Un million et demi d'étudiants sont inscrits à l'université. » – e En sciences humaines et sociales, droit, sciences politiques et sciences économiques. – f En sciences. – g Faux : « Seulement 11 % des étudiants viennent de familles d'ouvriers. »
2 a Faux : elle concerne aussi les étudiants. – b Faux : ils sont inquiets sur leur situation présente mais ont confiance en l'avenir. – c Vrai : « Sur la crise actuelle, 70 % des jeunes interrogés sont plutôt pessimistes et n'envisagent pas d'amélioration. » – d Vrai : « 53 % en ressentent les effets. » – e Faux : « 75 % des jeunes interrogés restent optimistes sur leur future carrière. Les étudiants sont convaincus qu'ils arriveront finalement à trouver un emploi. » – f Vrai : « 1 étudiant sur 2 pense trouver un emploi bien rémunéré. »
3 a inactivité due au manque d'emploi – b l'argent gagné – c avoir fait des études – d la progression, les étapes pour réussir dans une profession – e payer pour un travail – f posséder légalement un titre, un diplôme
4 *Réponse libre.*
5 1 impact – 2 crise – 3 investissement – 4 enquête – 5 fait – 6 inégalité
6 *Intrus :* discuter – compter – faire – organiser
7 a mieux / moins de / plus – b meilleures / aussi / moins – c plus / plus – d meilleur – e Plus de – f moins / autant de
8 a Il y a de plus en plus de titulaires du baccalauréat. – b Aujourd'hui il y a un peu plus de filles dans les filières scientifiques. – c Les inégalités sont beaucoup plus importantes en période de crise. – d Les jeunes sont de moins en moins optimistes à cause de la crise.
9 *Qui* remplace un sujet. – *Que / Qu'* remplace un complément d'objet direct. – *Où* remplace un complément de lieu ou de temps. – *Dont* remplace un complément (verbe ou nom) introduit par *de*.
10 a où – b qui – c dont – d que – e dont – f où – g que
11 *Exemple de production possible :*
Plus diplômées, plus employées, mais moins payées !
Les femmes sont encore les grandes perdantes du marché du travail en Europe, comme le montre une étude proposée sur cinq pays : la France, l'Allemagne, le Royaume-Uni, la Suède et l'Italie.
Dans chacun de ces pays, il y a plus de femmes diplômées que d'hommes diplômés. Si en Allemagne et au Royaume-Uni l'écart est faible, dans les trois autres pays cet écart tourne autour des 10 %.
C'est peut-être pour cette raison que le chômage touche un peu moins les femmes que les hommes, à l'exception de l'Italie où le taux de chômage chez les femmes est plus important.
Pourtant, les femmes continuent à être moins bien rémunérées : en France, en Suède et en Italie, elles sont payées environ 25 % de moins que les hommes ; en Allemagne et au Royaume-Uni, les écarts de salaires dépassent les 40 %.
12 *Exemple de production possible :*
En France, il y a deux grands cycles : l'enseignement primaire et l'enseignement secondaire.
Pour l'enseignement primaire, il y a l'école maternelle pour les enfants de 3 à 5 ans et l'école élémentaire pour les enfants de 6 à 10 ans. À l'école maternelle il y a trois classes et à l'école élémentaire cinq.
Pour l'enseignement secondaire, il y a deux écoles : d'abord, le collège, de la sixième à la troisième, pour les jeunes de 11 à 14 ans. À la fin du collège, les jeunes Français vont au lycée : en seconde CAP, seconde BEP ou seconde générale et technologique. À la fin du lycée, ils passent le baccalauréat : professionnel, général ou technologique. Quand ils sont titulaires du bac, ils peuvent faire des études supérieures.
Dans mon pays…

Leçon 3 ■ Question d'éducation

1 a 2 – b 3 – c Oui. Comme les jeunes veulent être compris, ils font attention à choisir les mots justes et ils font aussi attention à l'orthographe. – d On apprend à dire l'essentiel en peu de mots parce que les messages sont courts. On développe aussi sa créativité parce qu'on invente en permanence de nouveaux mots.
2 a Bernard : positive / Catherine : négative / Clarisse : mitigée – b 2 – c Ils permettent de développer la créativité. – d 1 – e Elle propose de lire plus de romans (et de passer moins de temps à envoyer des textos). – f 2 – g Non, parce que ce phénomène a commencé bien avant l'arrivée des SMS.
3 « Pour mieux communiquer avec mes enfants, j'ai dû apprendre **le langage** SMS. Comme dans l'apprentissage d'une **langue**, il y a des **règles** à suivre. Au début, ce n'est pas facile parce que les **mots** peuvent prendre des **formes** très différentes de celles que nous connaissons traditionnellement. Mais grâce à un bon **niveau** en français et surtout à une bonne connaissance de **l'orthographe**, on écrit facilement des textos. Cela devient

Corrigés

même un jeu ! Évidemment, avec mes collègues, je n'utilise pas de textismes ! L'essentiel, c'est de s'adapter au **contexte** et les jeunes en ont bien conscience. »

4 a contient – b influence – c détermine – d affecte

5 1 e – 2 c – 3 a – 4 d – 5 b

6 a Comme les jeunes ne lisent pas assez, leur niveau en orthographe baisse. – b Comme les textismes n'affectent pas l'orthographe, il ne faut pas en avoir peur. – c On échange énormément de SMS car / parce qu'ils sont un moyen efficace pour communiquer. – d Comme nous inventons toujours de nouveaux mots, les textos favorisent la création langagière.

7 a cause : 1 / Un texto est un message très court puisqu'il se compose seulement de 160 caractères. – b cause : 2/ Comme les jeunes écrivent moins bien qu'avant, les parents critiquent la pratique des SMS. – c cause : 2/ L'orthographe traditionnelle ne disparaît pas puisque 50 % des textos sont écrits selon les règles traditionnelles. – d cause : 1 / Les jeunes sont moins bons en orthographe qu'il y a 20 ans puisque des études scientifiques prouvent la baisse de la compétence orthographique des jeunes.

8 a slt cmt sa va? T libr 2m1 pr HT le Kdo d'aniv 2 ma mR? G trouV 1 iD Gnial. apL moi! – b bjr! mR6 bcp pr tn 1vit a Djené ms je pe pa accepT pq G 1 exam. Dsl. Biz.

9 *Exemple de production possible :* a Slt sa va? tu pe m paC ladrS 2 lotL pr ce we stp? Mr6 – b Slt dsl G pa ladrS ms 2mand a Sara. Biz / Slt, C o 4 pl J JorS @+

10 *Exemple de production possible :* Je ne partage pas l'avis de Jacqueline. Une étude vient de prouver qu'il n'y avait pas de relation entre la mauvaise orthographe et la pratique du langage SMS. D'abord, pour fabriquer des textismes, il faut maîtriser les règles traditionnelles. De plus, un SMS est souvent écrit en français correct. En fait, la rédaction d'un texto est un exercice d'écriture très intéressant car il faut fabriquer en permanence de nouvelles formes de mots. Bref, pour les jeunes, les SMS représentent une occasion supplémentaire de développer leur créativité langagière. Les lacunes en orthographe ne s'expliquent donc pas par la pratique du langage SMS.

Leçon 4 ■ Métiers

1 a Faux – b 3 – c Il préférerait qu'elle s'inscrive en droit ou en sciences éco parce que ça serait mieux pour son CV et qu'elle trouvera plus facilement du travail. – d 2 – e Elle lui suggère de faire une formation en alternance.

2 1 b – 2 f – 3 d – 4 h – 5 a – 6 j – 7 e – 8 i – 9 g – 10 c

3 a 2 / 5 – b 2 / 5 – c 1 / 4 / 5 – d 1 / 5 – e 4

4 diplôme – grande école – finances – frais d'inscription – dans le rouge – secteur – opportunités – marché du travail – entreprise – contrat en alternance – CDD – CDI

5 je faisais / je ferai / je ferais – tu étais / tu seras / tu serais – il fallait / il faudra / il faudrait – elle allait / elle ira / elle irait – nous savions / nous saurons / nous saurions – vous pouviez / vous pourrez / vous pourriez – ils avaient / ils auront / ils auraient

6 devrais – obtiendrai – aurai – seras – organiserai – inviterai – m'inscrirai – irai – ferais – aurais – partirais – parlerais – serait

7 d'ici à – l'année prochaine – Dans deux ans – Au moment de – à l'horizon – dans les prochaines années – en

8 *Exemple de production possible :* Je pense qu'à l'horizon 2025, on aura beaucoup plus de cours en ligne qu'aujourd'hui. Il y aura toujours des professeurs à l'université, mais ils donneront moins de cours magistraux, qui seront enregistrés et disponibles sur une plate-forme d'apprentissage. Les enseignants seront là pour répondre aux questions des étudiants et pour leur faire faire des travaux pratiques.

9 *Exemple de production possible :* a Tu te présenteras rapidement. – b Tu te renseigneras sur l'entreprise. – c Tu prépareras à l'avance tes questions. – d Tu présenteras un CV clair et détaillé. – e Tu parleras de ton objectif professionnel.

10 *Exemple de production possible :* a Si vous aviez 20 ans aujourd'hui, quelles études feriez-vous pour être sûr d'avoir un travail ? – b Quels secteurs devraient être porteurs dans les prochaines années ? – c Pensez-vous que dans 5 ans les jeunes diplômés auront autant de mal à trouver du travail qu'aujourd'hui ? – d À l'horizon 2020, y aura-t-il, d'après vous, des professions qui n'existeront plus ? – e Sur quels métiers miseriez-vous pour demain ?

DOSSIER 2 Images

Leçon 6 ■ Privé-public

1 a la vie privée : 1 - 2 - 6 – b la vie publique : 3 - 4 -5

2 carte de presse – Une – presse – célébrités – photographes – exclusive – c'est mon truc – reportage

3 1 e – 2 a – 3 d – 4 f – 5 b – 6 c

4

	1		2			3				
						F				
5	P	A	P	A	R	A	Z	Z	I	
	O		E			I				
6	S	C	O	O	P					
	E		R			L				
	R		T			E				
					4	R				
7	P	L	A	N	Q	U	E			
			G		N					
			E		Q					
				8	S	T	U	D	I	O
					Ê					
9	R	É	D	A	C	T	E	U	R	
					E					

5 a Mon truc c'est – b une carte de presse – c il est en train de travailler sur un projet important – d ne respecte pas les règles – e travaille à la manière d'une chaîne américaine – f n'abandonne jamais

Leçon 7 ■ Nous, journalistes

1 a Faux : « L'émission de télévision qui a fait bouger les choses au cours de cette première décennie, c'est celle, passionnante, de Mireille Dumas : *Vie privée, vie publique.* » – b Vrai : « des plongées dans la vie intime des personnalités célèbres » – c Faux : « des femmes et des hommes publics, artistes, stars ou politiques » – d Vrai : « Les barrières qui protégeaient l'intimité de la vie privée ont disparu. » – e Faux : « Lorsqu'on vote pour un chef d'État, on accepte de moins en moins de ne pas savoir qui est la personne à qui on confie les clefs de notre vie quotidienne. »

Corrigés

2 a 😊 : personnes 1 et 4 / ☹ : personnes 3 et 5 / 😊-☹ : personne 2 – b 1 C / 2 D / 3 E / 4 A / 5 B

3 a reporter – b éditorialiste – c rédacteur en chef

4 liberté d'expression – éthique – secret professionnel – défendre – critique – commentaire

5 a S'obliger à rectifier toute information inexacte. – b S'obliger à protéger les sources confidentielles. – c Il doit vérifier les sources des informations publiées. – d Il doit respecter la vie privée des personnes. – e Obligation de citation des sources utilisées.

6 a Il est fondamental qu'il connaisse la loi écrite et éthique. – b Il est essentiel que vous suiviez le Code civil. – c Il est nécessaire que nous gardions le secret professionnel. – d Il faut que tu dises la vérité aux lecteurs. – e Il est indispensable qu'ils fassent attention aux rumeurs.

7 (il est indispensable) que tu sois sûre – (Il est aussi essentiel) que tu te mettes d'accord – (il est fondamental) que tu aies – (Il faut donc) que tu puisses – (il est nécessaire) que tu me dises – (il faut) que tu obtiennes

8 *Exemples de productions possibles :* a La Charte du policier. Article 1 : Obligation du respect de la loi. Article 2 : Le policier doit assurer l'ordre public. Article 3 : Le policier s'oblige à garder le secret professionnel. Article 4 : Il faut utiliser les armes seulement quand la vie d'une personne est en danger. Article 5 : Il est nécessaire de suivre les ordres de ses supérieurs. Article 6 : Il est indispensable de s'opposer à tout acte de corruption. Article 7 : Il est fondamental de respecter l'honneur et la dignité des personnes. – b La Charte du médecin. Article 1 : Obligation de respect de la vie humaine, de la personne et de sa dignité. Article 2 : Le médecin doit soigner toute personne sans aucune discrimination. Article 3 : Le médecin s'oblige à garder le secret médical. Article 4 : Il faut fixer le prix des consultations selon la réglementation. Article 5 : Il est nécessaire de soigner les personnes avec les moyens techniques adéquats. Article 6 : Il est essentiel d'informer le patient sur son état de santé. Article 7 : Il est fondamental de proposer des traitements autorisés par la loi.

9 *Exemple de production possible :* Mais un journaliste doit avant tout chercher la vérité. Il s'oblige à vérifier toutes les informations qu'il diffuse et à rectifier toutes les erreurs. Il est nécessaire de citer ses sources mais il faut les protéger si elles sont confidentielles. Il est essentiel que les journalistes soient discrets car tout ne peut pas être dit publiquement. En effet, s'il est fondamental que les journalistes combattent la censure et défendent la liberté d'expression, cette liberté a des limites. Parmi les lois qu'on doit respecter, il y a l'obligation de respect de la vie privée. Il est fondamental que les journalistes sachent préserver l'intimité de chacun. L'arrivée d'Internet a changé beaucoup de choses et quand on est journaliste, on doit savoir réagir vite et s'adapter.

10 *Réponse libre.*

Leçon 8 ■ Médias

1 a 2 – b 3 – c Les jeunes. – d Non / Parce qu'il pense que les jeunes auront des enfants et que la télévision est le meilleur baby-sitter. – e 3 – f Faux

2 a V – b F – c V – d F – e V – f F – g V

3 un débat – les médias – s'intéressent – consommer – l'actualité – sont accros – s'informent – approfondir

4 esthétique – paparazzi – exposition – catalogue – œuvres – passionnant – phénomène

5 a un quart – b six sur dix – c la moitié – d presqu'un tiers – e deux tiers – f la plupart – g une minorité

6 a 1 en regardant / 2 en lisant / 3 en écoutant – b 1 en étant / 2 en suivant / 3 en ayant – c 1 en surfant / 2 en discutant / 3 en allant – d 1 en réfléchissant / 2 en rangeant / 3 en m'appelant

7 *Exemple de production possible :* Comme la majorité des personnes interrogées, je pense que les médias font trop de place aux mauvaises nouvelles. C'est ce qui fait vendre, malheureusement. Quand on parle de l'Afrique, par exemple, on ne parle que de la pauvreté, de la guerre, de maladies, alors qu'il s'y passe aussi des choses incroyables au quotidien. Je peux le dire car j'ai travaillé pendant des années dans différents pays de ce continent. Mais l'optimisme ne rapporte pas d'argent. C'est vraiment dommage.

8 *Réponse libre.*

Leçon 9 ■ Brassaï

1 a Une exposition d'œuvres de Robert Doisneau à la Fondation Henri Cartier-Bresson. – b Agnès Sire, directrice de la Fondation Henri Cartier-Bresson / Jean-François Chevrier, critique. – c 1 « le photographe de carte postale avec son Paris enchanté, ses amoureux romantiques, ses cafés pittoresques » / 2 « un autre Doisneau, plus sombre », « la gravité », « une œuvre nouvelle, surprenante et mélancolique, très différente du 'style Doisneau' », « des immeubles tristes, des petits pavillons sous un ciel gris et des horizons de cheminées d'usine » – d Photo 1 : c'est une vue de la banlieue avec des cheminées d'usines. – e 2

2 1 a – 2 f – 3 c – 4 d – 5 e – 6 b

3 a Prix / recevoir / prix / Prix – b a éprouvé / inaltérable / noir et blanc / couleurs / atmosphère

4 a naturalisé / pays natal – b naturalisation / mort – c naissance

5 est né – avait – a étudié – a obtenu – a commencé – est devenu – a réalisé – se définissait – conservait – cherchait – étaient – a photographié – est mort

6 *Verbes au plus-que-parfait :* c aviez visité – e s'étaient rencontrés

7 a Il a lu le livre que tu lui avais conseillé. – b J'étais heureuse car tu avais téléphoné. – c Nous avons regardé le catalogue dont tu nous avais parlé. – d Elle est rentrée parce qu'elle avait oublié ses clés. – e Tu as fait le travail que je t'avais demandé ? – f Vous étiez là car je vous avais demandé de venir.

8 a est arrivé / n'avait pas noté – b s'est inscrite / avait réussi – c a commencé / avait rencontré – d ai perdu / avais offert – e est venu / avait passé – f avez vu / avais conseillé

Corrigés

9 *Exemple de production possible :* a C'est une photo en noir et blanc d'Édouard Boubat, prise dans le jardin du Luxembourg à Paris en 1956, probablement en hiver. Des enfants jouent dans la neige. Au premier plan, il y a des chaises empilées les unes sur les autres. Près de ces chaises, un enfant regarde dans la direction du photographe. Au loin, on peut voir des arbres sans feuilles car la photo a été prise en hiver. L'atmosphère est plutôt joyeuse : les enfants sont peut-être en vacances et s'amusent. b C'est une photo en noir et blanc de Robert Doisneau, prise sur le pont des Arts à Paris en 1953. Un homme qui promène sont chien regarde un peintre en train de travailler. Les arbres sans feuilles indiquent que la photo a été prise en hiver. C'est une photo amusante car l'homme regarde le peintre et le chien regarde le photographe.

10 *Exemples de productions possibles :*
Édouard Boubat est né le 13 septembre 1923 et mort le 30 juin 1999 à Paris. C'était un photographe français. Il était, comme Robert Doisneau, l'un des principaux représentants de la photographie humaniste française. Son œuvre, pleine de poésie, a fait dire à Jacques Prévert : « Boubat, un correspondant de paix ».
Josef Koudelka est né le 10 janvier 1938 à Boskovice en Moravie. C'est un photographe français d'origine tchèque. Ses photos reflètent les déchirements et les révoltes de son pays. En 1975, il a fait sa première exposition personnelle au musée d'Art moderne de New York.
Raymond Depardon est un photographe, réalisateur, journaliste et scénariste français. Il est né à Villefranche-sur-Saône le 6 juillet 1942. C'est lui qui a créé l'agence photographique Gamma en 1966. Un des traits les plus caractéristiques de son œuvre photographique est la revendication de la subjectivité du photographe.
Jean-Paul Goude est né en 1940 à Saint-Mandé. C'est un graphiste, photographe et réalisateur de films publicitaires français. Il sait capter l'air du temps et, pour lui, la vie et l'œuvre sont indissociables, ce qui donne à son travail un style très particulier.

11 *Réponse libre.*

Bilan Dossiers 1 et 2

1 a Lucas : oui, parce qu'il aime l'atmosphère qui se dégage de ces photos en noir et blanc. / Tom : oui, parce qu'il a appris des choses très intéressantes sur cette photographe. / Virginie : oui, parce qu'elle adore cette photographe qui était vraiment pluridisciplinaire. – b Au courant humaniste. – c 3 – d 2 / 3 / 5 / 6 – e 2 – f Il lui conseille de rester prof.
2 Jean-Marc : maths / 12 ans / « plus possible de faire cours », « découragé par le système scolaire actuel, qui n'a pas su évoluer » / contrôleur des finances – Alix : français / 15 ans / « je ne voulais pas devenir une prof usée » / psychologue – Julie : espagnol / 3 ans / « je me suis rendu compte que je n'aurais pas de poste fixe avant longtemps » / poste en agence de communication
3 *Exemple de production possible :* Bjr, sa va ? Koi 2 9 ? G penC à ton iD 2 chanG 2 boulot. Tu px écouT 1 émi6on radio sur les nvx métiers. C b1. Sa passe le mat1 à 7h15 sur Fr inter. On sapL, biz.
Ou : Bonjour, ça va ? Quoi de neuf ? J'ai pensé à ton idée de changer de boulot. Tu peux écouter une émission sur les nouveaux métiers. C'est bien. Ça passe le matin à 7 h 15 sur France Inter. On s'appelle. Bises.

4
> Métier : concierge
> Ce service s'adresse à des particuliers.
> Parcours de Magali, 36 ans :
> – pendant des années, (elle a été) salariée dans le tourisme
> – fin 2013, (elle) décide de créer son entreprise
> Ville : Montrouge (près de Paris)
> Raisons du changement de métier :
> – la naissance de sa 2e fille
> – un travail très prenant
> – le manque de temps
> Magali a constaté que beaucoup de gens n'avaient pas le temps de s'occuper de certaines tâches quotidiennes.
> Exemples de services proposés par Magali :
> – aller au pressing
> – aller chercher un colis à la Poste
> Elle s'est renseignée pour voir si ces services existaient mais soit c'était un service de luxe, soit un service à la personne avec des besoins spécifiques.
> Elle a parlé de son projet à son père et à ses amis.

5 *Exemple de production possible :* J'ai écouté l'émission d'aujourd'hui et l'expérience de Magali me donne envie de changer de métier. Je suis professeur dans un collège où j'essaie d'enseigner les arts plastiques à des jeunes qui ont les yeux fixés sur leur téléphone et qui ne s'intéressent à rien. Tout le monde me dit que prof est un métier sûr en ces temps de crise, mais en écoutant Magali, je vois qu'il y a des métiers où je pourrais être plus utile. Son témoignage est très positif car même à 36 ans, on peut prendre un nouveau départ. Mais il est nécessaire de bien préparer son changement. Il faut d'abord être motivé et à mon avis il est indispensable d'en parler à ses proches. Et vous ? Qu'en pensez-vous ? Quels conseils pourriez-vous me donner ?

DOSSIER 3 Voyages

Leçon 11 ■ Carte postale … sonore

1 les sons, la musique : entendre / une composition musicale / un instrument / la voix/ le bruit – l'espace : un lieu / se déplacer / le décor / la scène / un environnement / un endroit
2 *Propositions :* Les sons : jouer/faire d'un instrument, une guitare, un piano …
L'espace : bouger, marcher, courir, en haut, en bas, devant, derrière… la mer, la montagne, la ville…
3 1 : a, c, f – 2 : e, h – 3 : d, h – 4 : b, g – 5 b
4 a dire une histoire : un habitant m'a dit l'histoire de sa famille.
b faire une liste : les voyageurs ont fait la liste de tous les souvenirs achetés.
c créer : cet artiste réalise des peintures sur tissu.
d transférer : ma grand-mère m'a transmis sa passion pour le voyage.
e se servir (de) : pour raconter mon voyage, je me sers surtout de mes photos.
f représenter quelqu'un : ce tableau représente la femme de Matisse.

5 Immersion – lieu – banal se mélangent (1) – Bruits – colorées (2) – saveurs (3) – dimension – (4) Dynamisme – (5) partager
Commentaires : 1 photo c – 2 photo d – 3 photo a – 4 photo d – 5 photo b

Leçon 12 ■ Bonne route !

1 a 2 – b Il a écrit un livre *(Envolez-vous)* qui traite de la peur en avion. – c 3 – d Il y a ceux qui prennent l'avion pour la première fois ; il y a aussi ceux qui voyagent souvent en avion ; il y a ceux qui ont peur de l'avion selon sa taille et la distance parcourue. – e Elles ne les rassurent pas. / Elles les inquiètent. / Elles leur font peur. – f arriver en avance / parler de son angoisse / se distraire / prendre des tranquillisants

2 a 1 Un billet « tour du monde ». / 2 Voyager dans le même sens ; débuter et achever son voyage au même endroit. – b

3 a bouquiner – b décrocher – c ronfler
4 a : 1 C / 2 A / 3 B – b : 1 B / 2 C / 3 A – c : 1 A / 2 C / 3 B
5 a ceux qui – b celle qui – c celui que – d celles que – e ceux que – f celles dont – g celui qui / celui dont
6 *Exemples de productions possibles :*
a Les amoureux de la nature : ce sont ceux qui adorent la montagne, qui voyagent avec un sac à dos, qui font des randonnées et qui campent pour être près de la nature.
b Les joyeux : ce sont ceux qui s'amusent, qui font la fête, qui se réunissent pour chanter et danser tard dans la nuit et qui font la grasse matinée.
c La paresseuse : c'est celle qui aime rester sur la plage, qui prend le soleil sur un transat, qui boit un cocktail en regardant la mer.
d La cultivée : c'est celle qui visite des monuments historiques, qui aime découvrir des villes, qui prend en photo tout ce qu'elle voit pour faire un reportage de ses vacances.
e L'aventurière : c'est celle qui rêve d'aventure, qui adore les grands espaces, qui voyage à l'étranger pour découvrir des modes de vie différents et qui veut toujours faire de nouvelles expériences.
f Le travailleur : c'est celui qui ne connaît pas le sens du mot « vacances », qui ne peut pas se séparer de son ordinateur, qui consulte ses e-mails tout le temps, qui ne peut pas décrocher.

7 *Réponse libre.*

Leçon 13 ■ Éthique

1 a Du sable, la forêt tropicale, des chimpanzés. – b Des panneaux solaires et l'eau courante. – c Non, car la crise sociopolitique de 2002 a stoppé le tourisme. – d 3 – e Parce qu'il n'y a plus de problème de sécurité et que les touristes peuvent maintenant venir sans crainte.
2 a F – b V – c F – d V – e F
3 a : 2 / 9 – b : 3 / 6 – c : 5 / 8 – d : 1 / 10 – e : 4 / 7
4 *Intrus :* a rendre visite – b la fuite – c les touristes – d les individus
5 a projets d'aide au développement – b acte citoyen / responsable – c solidaire / éthique – d vous engager
6 Pour – afin – pour / afin – nous donnons pour but / avons pour but – Pour / Afin
7 a 5 – b 1 – c 3 – d 2 – e 4
8 *Exemple de production possible :*
Bonjour,
J'ai vu sur votre site que vous organisiez des écovoyages sur mesure. J'habite à Marseille et je souhaiterais avec ma femme et mes deux enfants passer une semaine pendant les vacances de Pâques dans un lieu insolite, en France. Le rêve de mes enfants est de dormir dans des cabanes dans les arbres. Ma femme et moi, nous adorons faire des randonnées. Nous aimerions également pouvoir rencontrer des producteurs locaux car nous sommes restaurateurs.
Que pouvez-vous nous proposer et à quels tarifs ?
En vous remerciant
Cordialement,
Gerald Cordier

9 *Exemple de production possible :*
– Allô !
– Nina, c'est Léa. On avait dit qu'on partirait ensemble à Pâques. J'ai une idée super !
– Ah oui. Qu'est-ce que tu vas me proposer encore ?
– Je viens d'acheter un guide de l'écotourisme. Tu voulais qu'on aille au soleil pour faire de la randonnée et moi j'avais envie de dépaysement et de pouvoir rencontrer des populations locales. Ils proposent plein de destinations géniales dans ce guide.
– Mais tu sais que je n'ai pas énormément d'argent en ce moment...
– On n'est pas obligées d'aller très loin et puis il y a des des formules qui ne sont vraiment pas très chères.
– C'est tentant. On se voit lundi. Tu peux apporter ton guide et on regardera ensemble.
– Ok ! À lundi. Je t'embrasse.
– Moi aussi. Bisou.

10 *Exemple de production possible :*
– J'ai gagné un voyage écosolidaire pour deux. Tu veux venir avec moi ?
– Pour aller où ?
– On peut choisir entre la Baie de Somme et Béziers.
– Si tu me demandes mon avis, je préférerais aller à Béziers. J'ai des copains à Montpellier. On pourrait aller les voir !
– C'est seulement un week-end. Tu crois pas qu'il vaudrait mieux profiter de la nature : marcher sur la plage, découvrir la faune et la flore de la région ?
– Tu as peut-être raison. Alors d'accord pour la Baie de Somme !

Corrigés

Leçon 14 ■ Destinations

1 a 1 A / 2 Vrai : « J'adorerais aller en Corse ! Pour moi, la Corse c'est un rêve ! » / 3 Faux : « Ce ne sont pas les vacances dont je rêve » ; « Si j'avais assez d'argent, je préférerais me payer un beau voyage ! » – b Madeleine aimerait aller au Vietnam / en Thaïlande / au Cambodge. – Céline est allée au Vietnam. / Céline projette d'aller au Cambodge.

2 a 2 – b *Exemples de réponses possibles* : 1 Susie voudrait visiter des pays où les paysages sont magnifiques, elle souhaiterait voyager dans des pays où on parle anglais et s'inscrirait à des cours pour parler l'anglais parfaitement. / 2 Tony s'occuperait de ses projets : il fonderait une association gastronomique et créerait un groupe de musique. / 3 Yann parcourrait la Terre. / 4 Lyse irait au Canada pour voir la neige et s'adonnerait à sa passion, l'écriture, le reste de son temps.

3 a Elle fait du yoga. – b Il fait de la méditation.

4 m'installer / mobile-home / visiter / plages du débarquement – partir / traverser

5 Futur : c / f / g – Imparfait : a / i / j – Conditionnel : b / d / e / h

6 être : je serais / tu serais / il/elle/on serait / nous serions / vous seriez / ils/elles seraient – savoir : je saurais / tu saurais / il/elle/on saurait / nous saurions / vous sauriez / ils/elles sauraient – faire : je ferais / tu ferais / il/elle/on ferait / nous ferions / vous feriez / ils/elles feraient – aller : j'irais / tu irais / il/elle/on irait / nous irions / vous iriez / ils/elles iraient

7 a Si tu allais au Cambodge, tu visiterais Angkor. – b Si nous gagnions au loto, nous partirions au bout du monde. – c Si vous vouliez, je pourrais venir avec vous. – d S'il avait assez d'argent, il ferait le tour du monde. – e Si j'achetais mon billet sur Internet, ce serait moins cher. – f Si on prenait le train, on arriverait à onze heures.

8 *Exemples de réponses possibles* : a Si les animaux pouvaient parler, ils raconteraient des histoires passionnantes. – b Si les hommes étaient des femmes, ils seraient plus intelligents. – c Si les femmes étaient des hommes, elles feraient la guerre. – d Si Paris était au bord de la mer, il y aurait encore plus de touristes. – e Si je pouvais voler, je gagnerais du temps pour aller au travail.

9 *Exemples de questions possibles* : Si vous deviez passer des vacances idéales, vous resteriez en France ou vous partiriez dans un pays étranger ? – Vous préféreriez une destination connue ou inconnue ? – Vous iriez au bord de la mer, à la montagne, à la campagne ou en ville ? – Avec qui passeriez-vous vos vacances ? – Quel type de logement choisiriez-vous ? – Quel moyen de transport utiliseriez-vous ?

10 *Réponses libres.*

11 *Exemple de production possible* : D'après une enquête récente, si les Français pouvaient réaliser leurs rêves, ils partiraient en voiture et resteraient en France, mais loin de chez eux. Ils préféreraient se rendre dans une région inconnue qu'ils pourraient ainsi découvrir. Cette destination serait idéalement au bord de la mer. Les Français partiraient de préférence en famille et choisiraient la location comme type de logement.

DOSSIER 4 Nouvelles familles

Leçon 16 ■ En alternance

1 a demi-frère – b belle-mère – c beau-père – d demi-sœur

2 a Toi, tu t'occupes des enfants. Photo n° 2 – Et moi, je m'occupe des miens. Photo n° 1

3 a s'occuper de – b un enfant – c un week-end sur deux – d un père – e divorcer – f un rapport – g prendre des décisions – h une maman – i se marier avec quelqu'un – j avoir ses enfants

4 papa / maman – ont divorcé – mère – une semaine sur deux – père – s'occuper de – un enfant – rapports – prendre des décisions – maman/papa – se sont mariés

5 vivre ensemble : le mariage – bien s'entendre – avoir des enfants – une famille unie – la vie commune
Se séparer, la séparation : divorcer / le divorce – se disputer – être en désaccord – avoir ses enfants en alternance – une famille recomposée – mal s'entendre

6 Lui, c'est Théo, mon fils. Il est né d**e** mon premier mariage avec Hélène, ma première femme. J**e** vous raconte pas ! C'était un sacré mariage ! Là, j**e** l'emmène à la piscine pour ses cours de natation ; il adore nager ! Puis, j**e** repars / je r**e**pars et j**e** vais chercher Eliott et Lucas, mes deux autres enfants... Enfin, j**e** veux dire ceux d**e** ma nouvelle femme. J**e** passe les prendre et j**e** repars / je r**e**pars aussitôt chercher Marie, ma p**e**tite troisième. Ah, Marie ! C'est ma fille, et celle de ma femme, ma femme actuelle. J**e** passe la prendre et nous allons récupérer Eliott et Lucas que j**e** viens juste d'oublier. Puis nous r**e**partons chercher Théo, mon fils, et j**e** le / je l**e** ramène à sa maison, qui était aussi la mienne quand je vivais encore avec ma première femme. Ensuite, j**e** passe prendre Tom – j**e** viens tout juste d'apprendre que c'était mon fils ! Et, enfin, on rentre tous à la maison... avant d'aller déposer Arthur, le fils des voisins.
Pour les nouvelles familles, rien ne vaut le nouveau Renault Grand Scénic.

Leçon 17 ■ Familles

1 a Yvan : il est séparé de sa femme et a des filles qui vivent chez sa sœur, Ariane. Il est le beau-père de Léo. – b Ariane : elle est la sœur d'Yvan et donc la tante des filles d'Yvan. Ses nièces habitent avec elle. – c Emmanuelle : elle a plusieurs enfants avec des pères différents. Elle est la belle-mère des filles d'Yvan. – d Léo : il est le fils que la femme d'Yvan a eu avec un autre homme et donc son beau-fils.

2 a Le portrait d'une famille recomposée. – b Une famille recomposée : Marie, Kamal et leurs enfants. – c Kamal était le passager dans un avion où Marie travaillait comme hôtesse de l'air. – d 1 : 3 enfants / 2 : 3 enfants / 3 : 1 enfant – e Vrai : « Ils ont tous été super ! » / « Certes, on forme une famille recomposée, mais une famille quand même. » / « Il y a vraiment une affection et un respect, qui fait que les choses, nous, se sont très très bien passées. » – f Faux : « Ses enfants ne seront jamais les miens. » – g Adrien : Il faut s'organiser. / Julie : Il faut expliquer aux autres qui est qui. / Chloé : Il faut expliquer aux amis que ce n'est pas aussi simple. / Nina : Il faut apprendre à se connaître.

3 la garde alternée – s'installer – un rythme

4 *Intrus :* a se rencontrer – b un grand-père – c un beau-frère – d rester seul(e)
5 *Exemples de réponses possibles :* a La famille avec laquelle on a des liens du sang : le père, la mère, les frères et sœurs. – b La famille avec laquelle on vit : il peut s'agir de la famille réelle ou d'une famille recomposée avec un beau-père ou une belle-mère, des demi-frères et/ou des demi-sœurs. Il peut aussi s'agir d'une famille adoptive. – c La famille est composée d'un seul parent : le père ou la mère.
6 a 2 – b 1
7 *Intrus :* parce que – avant de – mais – grâce à – pour – à cause de
8 a La garde alternée n'est pas un rythme facile pour les enfants et provoque des perturbations. – b Elle vivait seule mais elle voulait tellement avoir un enfant qu'elle a fini par adopter. – c Le père de Chloé s'est marié avec Isabelle, si bien qu' Isabelle est la belle-mère de Chloé. – d La loi sur le mariage pour tous a entraîné de nombreux débats sur la famille. – e Élise a mal vécu le divorce de ses parents, c'est pourquoi elle a eu des difficultés dans sa scolarité. – f Ils ne s'entendaient plus, alors ils se sont séparés.
9 *Exemples de réponses possibles :* a Elle travaille beaucoup, si bien qu'elle ne passe pas beaucoup de temps avec sa famille. – b Ils ne pouvaient pas avoir d'enfant, alors ils ont adopté. – c Les parents d'Arnaud se sont séparés, du coup il a deux maisons. – d Mes parents n'habitent pas dans la même ville, donc ils n'ont pas choisi la garde partagée. – e Mes parents sont séparés mais s'entendent très bien, alors on passe encore Noël tous ensemble.
10 *Exemples de réponses possibles :* a Je suis en colère, donc je suis désagréable. – b Je suis fatigué(e), c'est pourquoi je ne travaille pas bien. – c Je suis stressé(e), si bien que je ne dors plus. – d Je suis en vacances, du coup je me repose.
11 *Exemple de production possible :* En France, en 2011, un enfant sur dix vivait dans une famille recomposée, ce qui correspond à 1,5 million de jeunes de moins de 18 ans. Ce phénomène touche plus les enfants de plus de 10 ans. La majorité (940 000) vivait avec un parent et un beau-parent, et un tiers (530 000) vivait avec ses deux parents et des demi-frères ou demi-sœurs. De plus, 18 % des enfants vivaient dans une famille monoparentale et 71 % dans une famille traditionnelle, avec leurs deux parents. Le modèle de famille traditionnelle reste donc majoritaire. Quand ils ne vivent pas avec leurs deux parents, les enfants logent majoritairement avec leur mère : 740 000 enfants sur 940 000.
12 *Exemple de production possible :* J'ai 14 ans. Mes parents ont divorcé il y a 2 ans et, au début, je ne l'ai vraiment pas bien vécu ! Je leur en voulais de décomposer notre famille. En plus, ils ont choisi la garde partagée, du coup je passais une semaine chez l'un et une semaine chez l'autre. J'avais l'impression de déménager tout le temps, de vivre avec un sac sur le dos ! J'oubliais toujours quelque chose, souvent une chose importante pour l'école : un livre, un cahier, une rédaction ! Ça faisait des tas de problèmes avec mes professeurs, si bien que j'ai été renvoyée ! Là, mes parents ont réalisé que le rythme une semaine / une semaine n'était pas très bon pour moi, alors ils ont décidé d'essayer deux semaines / deux semaines. C'était beaucoup mieux, j'avais plus de temps pour m'installer, donc mes résultats scolaires se sont améliorés. Maintenant tout se passe très bien ! Mes parents ont refait leur vie et je m'entends très bien avec mon beau-père et ma belle-mère.

Leçon 18 ■ Solos

1 a Dans les années soixante-dix, quatre-vingts. – b Le modèle de la mère veuve et le modèle de la fille mère. – c On avait une opinion très positive de la mère veuve qui se sacrifiait pour ses enfants ; on avait une mauvaise opinion de la fille mère qui était exclue de sa famille et de la société. – d Vrai – e 3 – f La garde partagée des enfants. – g Dans la grande majorité des familles monoparentales, c'est la mère qui s'occupe des enfants.
2 a V – b V – c F – d F – e V – f V – g V – h F – i V
3 nul – peut-être – assez (= plutôt) – certain (= certainement) – franchement (= réellement = vraiment) – formidable – génial – super
4 vie en communauté – vivre en colocation – colocataires – néo-solidarité
5 1 entraide – 2 honte – 3 normalité – 4 soutenu – 5 proximité – 6 singularité – 7 aise
6 a 3 – b 1 – c 4 – d 2
7 a Vivre seul présente **peut-être** des avantages. / Vivre seul présente **réellement** des avantages. – b Les parents solos sont **plutôt** courageux. / Les parents solos sont **franchement** courageux. – c Les divorces sont **assez** fréquents dans les grandes villes. / Les divorces sont **très** fréquents dans les grandes villes. – d La vie en colocation permet **peut-être** de faire des économies. / La vie en colocation permet **vraiment** de faire des économies.
8 a La vie de couple attire peut-être moins les jeunes. – b La colocation est une solution formidable aux problèmes financiers. – c C'est nul de critiquer les couples qui divorcent. – d Les gens divorcent certainement plus facilement de nos jours. – e Vivre en colocation est une super aventure.
9 *Exemple de production possible :* Quand j'ai divorcé, je me suis retrouvée seule avec mon fils de 3 ans et ce n'était franchement pas évident de payer le loyer de l'appartement et de concilier ma vie professionnelle avec ma vie de mère. Sur le site parent-solo.fr, j'ai vu des annonces de mamans solos qui recherchaient des colocs et l'idée m'a vraiment intéressée. J'ai partagé un appartement avec une autre maman qui avait aussi un fils du même âge que Théo. Ils sont devenus de super amis. Ce qui était génial, c'était la réelle solidarité entre nous, pour régler les problèmes du quotidien. La colocation, c'est une solution formidable pour rencontrer du monde et pour faire des économies. C'est assez rassurant de se sentir soutenue en cas de problème. C'est certain qu'il faut aimer la vie en communauté, mais c'est plutôt simple quand on respecte quelques règles. Pour moi, ça a été une expérience vraiment positive.
10 *Exemple de production possible :* b ■ c'est plutôt un moment convivial où tout le monde se retrouve. / ● c'est vraiment un moment unique avec votre amoureux (amoureuse). / ▲ c'est très certainement d'écouter tranquillement les infos à la radio. – c ■ vous allez certainement boire un verre avec des amis pour vous changer les idées. / ● vous êtes assez tenté(e) par une soirée tranquille à deux devant la télé. / ▲ c'est certain, vous allez au lit avec un bon livre. – d ■ vous le faites plutôt à plusieurs, c'est bien plus sympa ! / ● c'est plutôt un moment de compli-

Corrigés

cité avec votre chéri(e). / ▲ vous êtes franchement plus efficace quand vous êtes seul(e). – e ■ C'est nul de rater cette soirée entre amis. – ● Votre ami(e) acceptera peut-être de rester avec vous. / ▲ C'est génial : vous pouvez regarder la télé en pyjama et vous coucher tôt !
11 *Réponses libres.*

Leçon 19 ■ Évolution
1 1 a – 2 d – 3 b – 4 c – 5 e
2 a 1 – b Parce qu'elle veut emmener ses enfants passer un mois de vacances chez les parents de son mari actuel. – c Les rivalités entre adultes. – d Vrai – e 3 – f 1 F / 2 V / 3 F / 4 V / 5 F
3 a prend (toujours) tout au sérieux / Photo n° 3 – b égoïste / Photo n° 1 – c quitter / Photo n° 2
4 1 bonne volonté – 2 ennui – 3 valeur – 4 autorité – 5 adhérer – 6 sacré
5 a 4 – b 10 – c 9 – d 3/8 – e 8/3 – f 5 – g 2 – h 7 – I 6 – j 1
6 a soient (P) – b ont (O) – c aille (D) – d est (O) – e corresponde (D) – f soit (D) – g est (O)
7 a veuillent – b ne vienne pas – c soit – d prenne – e puissent
8 *Réponse libre.*
9 *Réponse libre.*

Bilan Dossiers 3 et 4
1 a 2 – b Elle va se marier avec Hamid, le beau-père de Stéphanie (avec qui elle vit depuis sept ans). – c Vrai – d Faux – e Faux – f 3 – g Faux
2 *Exemple de production possible :*
Salut Romain,
Tu sais, moi aussi, quand mes parents ont décidé de divorcer, j'étais anéanti. J'espérais tellement que mes parents se remettent ensemble, mais d'un autre côté, comme ils se disputaient tout le temps, c'était plus calme à la maison. Et puis papa, chez qui on allait un week-end sur deux, a eu une copine. Au début je lui en faisais voir de toutes les couleurs, mais avec le temps j'ai commencé à la trouver sympa. Et puis, c'est maman qui a rencontré son ami. Ça n'a vraiment pas été facile au début, surtout quand il est venu s'installer à la maison, mais maintenant je l'adore. Ma mère va se marier avec lui et c'est cool de la voir si heureuse. Tu verras que ça va bien se passer et n'oublie pas que je suis là si t'as besoin de parler.
Léo

3 *Exemple de production possible :*
STÉPHANIE : Allô tatie, c'est Stéphanie.
RACHEL : Comment vas-tu ma chérie ?
STÉPHANIE : J'ai eu une idée pour le cadeau de mariage de maman.
RACHEL : Ah bon ? Je suis allée hier aux Galeries Lafayette pour savoir comment faire pour ouvrir une liste de mariage.
STÉPHANIE : Tu sais, ils ont déjà tout. Moi, j'ai pensé à autre chose.
RACHEL : Ah oui ?
STÉPHANIE : Et si on leur offrait un voyage ?
RACHEL : Une semaine dans un club, par exemple ?
STÉPHANIE : Non, je pensais à un vrai voyage : cela leur rappellerait leur rencontre.
RACHEL : Mais tu sais, ta mère, maintenant qu'elle est devenue écolo...
STÉPHANIE : Justement, il y a aujourd'hui plein d'agences qui sont spécialisées dans l'écotourisme.
RACHEL : Oui, ça me semble une bonne idée, mais ça doit coûter une fortune...
STÉPHANIE : Mais si toute la famille et les amis se cotisent, on devrait pouvoir y arriver. Qu'est-ce que tu en penses ?
RACHEL : Je vais en parler à ton oncle et je te rappelle.
STÉPHANIE : Super ! Je t'embrasse.
4 a F – b F – c V – d F – e F – f F
5 1 c – 2 f – 3 a – 4 e – 5 i – 6 g – 7 b – 8 d – 9 j – 10 h

DOSSIER 5 Un corps parfait

Leçon 21 ■ Une nouvelle vie
1 a 2 – b 3 – c 1
2 a un produit surgelé ; b une alimentation riche ; c un potager ; faire un régime
3 manger – repas – équilibrée – mode d'alimentation – cuisinez – aliments – gourmand
4 *Propositions* – Ma liste végétarienne : Pommes – Poires – Kiwis – Pamplemousses – Carottes – Poireaux – Pommes de terre
Ma liste crèmerie : Lait – Yaourts – Fromage – Crème fraîche
Ma liste gourmande : Chocolat – Sucre – Biscuits – Brioche – Confiture
Ma liste locavore : les réponses varieront en fonction du pays, et de la saison.
5 a avoir un manque de… – b maigrir, mincir – c retrouver de l'énergie, du dynamisme – d souffrir
6 Le mal-être : aller mal – se sentir mal – avoir mal – (se) faire mal – être mal à l'aise
Le bien-être : aller bien – se sentir bien – (se) faire du bien – être bien
7 a L'eau d'Evian avec laquelle on fait tous les soins d'hydrothérapie est pauvre en sodium et sans aucune pollution. – b Ouvert toute l'année, c'est aussi un lieu idéal pour retrouver sa vitalité et soigner son organisme en profondeur. – c Séjour d'une semaine ou à la journée : à chacun sa formule pour se « détoxer » et retrouver la forme. – d Si vous le souhaitez, vous pourrez y faire une pause de deux jours pour entretenir la jeunesse de votre corps et vous sentir mieux au quotidien. – e Vous aurez accès au Club Forme et au sauna (hors des heures de cours).

Leçon 22 ■ Saga des pubs
1 a 4 – b C'est le symbole de la jeunesse éternelle. – c publicité 1 : 1994 ; « L'eau que vous buvez est aussi importante que l'air que vous respirez. » / publicité 2 : 1998 ; « evian déclarée source de jeunesse par votre corps. » / publicité 3 : 2009 ; « Live Young » (Vivez Jeune)
2 a 478 millions litres d'eau. – b Avec cette quantité d'eau, on pourrait remplir près de 4 millions de baignoires. – c Vrai – d Par un réseau d'aqueducs de 150 kilomètres (construit il y a plus d'un siècle). – e Des rivières et des eaux souterraines. – f Faux : elle est stockée dans différents réservoirs. – g Elle compare ce lieu à une cathédrale. (Elle parle de voûtes, d'arcades, de piliers.)
3 a source – b thermalisme / station thermale / source – c thermalisme / sources / sources / stations thermales / conditionnée en bouteilles
4 slogan – spots publicitaires – marché – se positionner – tendance
5 a 6 – b 4 – c 1 – d 5 – e 3 – f 2

6 participa – s'installa – contracta – inventa – s'inspira – continua
7 En 1882 – En 1886 – en 1887 – Entre 1939 et 1945 – En 1951 – En 1968 – sortit peu à peu – Cela fait maintenant deux ans que…
8 *Réponse libre.*
9 *Réponse libre.*
10 *Réponse libre.*

Leçon 23 ■ À la plage

1 a Vrai : « 67 % des personnes interrogées sont parties au bord de la mer au cours des douze derniers mois. » – b Les Français préfèrent une plage calme et en France. – c Passer plus de temps avec ceux qu'on aime. / Se reposer pour récupérer d'une année de travail. / Faire le plein de vitamine D. – d Se baigner (nager ou jouer avec les vagues), marcher dans le sable, lire, s'exposer au soleil et/ou faire la sieste.
2 a 1 Le sociologue et directeur de recherches au CNRS, Jean Viard. / 2 Parce que « en été, on a besoin de soleil, d'eau, de découvrir son corps, et de partir en famille, en bande ». / 3 Les Français partent en général sur le littoral, le plus près de chez eux, principalement en camping, alors que les Parisiens vont un peu partout. – b Faux : « Les séjours sur le littoral ont été lancés par les rentiers. Les vacances à la plage se sont démocratisées après la guerre de 1940. Tout cet imaginaire de la mer a été inventé par ces aristocrates. » – c

1 : la mer du Nord, Deauville et Trouville, la Côte d'Azur
2 : Rouen, Paris, Clermont-Ferrand, Toulouse

3 *Exemple de réponse possible :* C'est une plage de sable au bord de la mer. On voit des gens prendre un bain de soleil. Certains se baignent dans l'eau salée et d'autres font la sieste.
4 a rajeunir – b un bain de jouvence – c brûler des calories – d l'endorphine – e la détente – f nager
5 a Oui – b Oui – c Non – d Non – e Oui – f Non – g Oui – h Oui
6 a La ville est inondée par le soleil. – b Forme passive impossible. – c Roger sera sûrement aimé par Clara. – d La Joconde a été volée cette nuit. – e Il faut que cette plage soit appréciée par tout le monde. – f Forme passive impossible.
7 préfèrent – sont intrigués – avait déjà été retrouvé – a été autopsié – n'ont pas été identifiées – a été tué – a été lancé
8 a est arrivée / s'est baignée / a pris / a plié / l'a rangée / a sorti / a mises / est partie – b est rentré / a mangé / avait achetée / a retiré / a glissées / s'est allongé / s'est endormi – c se sont rencontrés / se sont aimés / a donné / l'a noté / l'a appelée / l'a invitée / se sont fréquentés / l'a demandée / se sont mariés / avaient invitées / sont venues
9 *Exemple de production possible :* Giselle était très fatiguée, elle a décidé de faire une pause pour se détendre un peu au soleil. Elle a acheté un billet pour la Réunion et a pris une chambre dans le premier hôtel venu. Elle passait ses journées sur la plage à bronzer et prendre des bains de mer. Ces vacances étaient un véritable bain de jouvence ! Un après-midi où elle faisait la sieste au soleil, Romain est passé près d'elle. Il a tout de suite été séduit par cette belle jeune femme et a engagé la conversation sur les méfaits du soleil. Ils ont passé le reste de la journée ensemble et Giselle a proposé qu'ils dînent ensemble le lendemain soir. C'est elle qui a organisé ce dîner très romantique sur la plage.
10 *Réponse libre.*

Leçon 24 ■ Le bikini

1 b 1 : Se protéger contre le mauvais temps – c 6 : Le béret dans l'armée – d 3 : La couleur du béret – e 2 : Un accessoire féminin – f 4 : Le chic parisien

2
Créée en 1962 par une jeune anglaise / Mary Quant.
Dans l'objectif de donner aux femmes une plus grande liberté de mouvement.
La création de ce vêtement est une révolution car il exhibe les genoux des femmes.
Ce vêtement symbolise à cette époque l'émancipation et la rébellion des femmes.
Il arrive en France en 1965 grâce à un grand couturier (André Courrèges).
Selon Coco Chanel, ce vêtement est choquant / indécent / dégrade l'image de la femme.
Aux Pays-Bas, ce vêtement est interdit parce que jugé trop provocant.
Mais à la fin des années soixante, ce vêtement s'impose dans le monde entier.

3 t'exhiber – s'impose – se dévêtir – se vêtir – retrousser
4 tenue – maillot de bain – lingerie – créations – une-pièce – deux-pièces – bikini
5 se plaignaient – obtinrent – devait – deviendra – permettait – rendra
6 était – évolua – servit – portaient – permit – avaient – fit – purent – étaient – recula – repartit – virent – se faisaient – devint
7 a Dès – b il y a – c en – d dans – e jusqu'aux – f Des – g à partir – h cette année-là – i Au
8 *Exemple de production possible :* En 1908, le marquis Mills Converse inventa une chaussure à semelle en caoutchouc. En 1917, il lança la Converse All Star. Au début des années vingt, le basketteur Chuck Taylor commença à faire la promotion de la Converse. Pendant la Seconde Guerre mondiale, la marque Converse produisit des chaussures pour l'armée. En 1966, la Converse se décline en plusieurs couleurs. Dans les années soixante et soixante-dix, la Converse a beaucoup de succès parmi les stars du cinéma et du rock. À la fin des années soixante-dix, la marque devait faire face à une forte concurrence. Dans les années quatre-vingt-dix, la Converse était un accessoire de mode basique. En 2003, l'entreprise Converse connaîtra de grandes difficultés financières et sera rachetée par Nike. Aujourd'hui, la Converse s'impose dans le monde entier.
9 *Exemple de production possible :* En 1823, un industriel écossais, Charles Mackintosh, invente le tissu imperméable ; en 1880, le Britannique Thomas Burberry crée la gabardine. C'est en cherchant à se protéger du froid et

Corrigés

de la pluie que ce sportif imagina recouvrir sa gabardine du tissu imperméable. Mais c'est pendant la Première Guerre mondiale que ce vêtement devint célèbre grâce aux soldats britanniques. Thomas Burberry créa un manteau adapté aux tranchées et qui permettait aux soldats de se protéger du froid et de l'humidité. On parle alors du « trench-coat ». Le succès de ce vêtement est immédiat. Plus tard, dans les années trente, les acteurs portent des imperméables dans les films. C'est d'ailleurs un film français, *Le Quai des brumes*, qui popularise cette tenue. L'actrice principale, Michèle Morgan, porte un béret et un imperméable transparent, d'après une idée de Coco Chanel. À partir de cette époque, l'imperméable devient un vêtement incontournable au cinéma et dans la vie réelle. Au début des années soixante apparaîtra le ciré et, en 1965, un fabriquant français créera le « en cas de… pluie », nommé d'abord « en-K » puis renommé « K-way ». Cet imperméable plié dans une poche qui se porte à la taille connaîtra un grand succès.

DOSSIER 6 Êtes-vous *geek* ?

Leçon 26 ■ Vers le futur

1 téléphone portable – vêtements – station météo – bracelet – réfrigérateur – balance – lave-linge – système de sécurité – voiture – smartphone – montre
2 a une caméra de surveillance – b une fourchette connectée – c un bracelet connecté – d un réfrigérateur intelligent – e une montre connectée
3 a Une station météo : elle vous informe du temps qu'il va faire. – b Un détecteur de fumée : il détecte la fumée et vous alerte si un feu/incendie se déclenche. – c Un pèse-personne connecté : il enregistre votre poids chaque jour. – d Un capteur de mouvements : il détecte et analyse vos mouvements.
4 *Intrus* : a personnalité / pas de son [7] – b caméra / pas de son [ã] – c commentaire / pas de son « on » – d informer / pas de son « im »
5 a En ce moment, à la maison, le téléphone de la chambre est déconnecté. – b La commande de la caméra de surveillance est en panne. – c Voici une dizaine de conseils simples à suivre pendant les prochaines vacances. – d La maison connectée du futur nous préviendra au quotidien. – e Sur la télécommande, la fonction « avance lente » ne fonctionne plus.

Leçon 27 ■ Robots et compagnie

1 a Comment est née l'idée de votre livre ? / b Pourquoi le thème de la déconnexion est-il devenu de plus en plus présent ? / c Pourquoi est-il important de se déconnecter ? / d La déconnexion est-elle une idée nouvelle ? – *Idée principale de chaque paragraphe :* a Les premiers utilisateurs des smartphones ont aussi été les premiers à s'interroger sur l'addiction aux smartphones. / b On se connecte de plus en plus souvent et dans plus en plus de lieux grâce à l'Internet mobile. / c Se déconnecter permet d'être plus créatif, plus efficace dans son travail, et de passer plus de temps avec ses proches. / d L'idée de déconnecter est très ancienne car faire autre chose que son activité principale a toujours permis d'obtenir de meilleurs résultats.
2 a 1 – b 1 Le smartphone, la tablette, Internet sans fil. / 2 Le réfrigérateur : l'application mobile sait ce que vous avez dans le réfrigérateur ; elle vous alerte quand les aliments approchent de la date de péremption ; elle vous conseille des recettes de cuisine en fonction de ce qui reste au frigo. Le lave-linge : il vous alerte s'il y a un problème technique ; il peut contacter directement le réparateur ; il vous prévient quand la lessive est terminée. / 3 Il faut des normes communes. / Il faut un langage informatique commun. / 4 La maison du futur pourra adapter la température selon les modes de vie en apprenant toute seule à quel moment on part le matin et quand on rentre le soir. – c la maison connectée / la maison intelligente / la maison consciente
3 a domotique / progrès / Programmer / diffusée – b robotique / humanoïdes / piloter / virtuelle
4 a tranquillité – b serein – c moment de paix
5 a dix ans – b décennie – c dizaine d'années
6 a La maison du futur sera connectée et autonome. – b Nous aurons des appareils électroménagers connectés entre eux. – c Vous n'entretiendrez plus votre maison : un robot aide-ménager remplira cette tâche. – d Un système de sécurité très sophistiqué te préviendra des dangers. – e Tu recevras des informations sur ta santé grâce à des capteurs biologiques. – f Nous ne devrons plus nous préoccuper de régler la température de la maison.
7 a aurai trouvé – b auras changé – c sera venu – d nous serons mis – e aurez accepté – f auront été
8 a Quand les écrans auront envahi notre univers, nous ne saurons plus parler aux gens. – b Quand nous aurons fini les travaux, la maison plaira à tout le monde. – c Quand mon patron m'aura augmenté(e), je t'offrirai une montre connectée. – d Quand j'aurai décidé d'acheter une maison, je chercherai quelque chose de très moderne. – e Quand les caméras de surveillance auront été installées, tu te sentiras plus en sécurité.
9 *Exemple de production possible :*
Bonjour Béatrice,
Comment vas-tu depuis notre dernière rencontre ? J'ai beaucoup pensé à ce que tu m'as raconté de ta vie, au stress dont tu souffres, et j'ai trouvé un séjour incroyable : une semaine au Château de la Gravière pour se reposer et revenir à l'essentiel. Je suis prête à t'accompagner ! Nous pourrons passer un bon moment ensemble. Quand nous serons arrivées sur les lieux, nous devrons remettre nos téléphones et nos tablettes, mais on nous proposera plusieurs activités comme le dessin ou des promenades. Tu auras du temps pour lire et tu retrouveras le plaisir de la sieste… Je suis sûre que ce séjour t'aidera à te sentir mieux. Quand tu te seras bien reposée, tu repartiras plus sereine. Je t'envoie la documentation. Quand tu l'auras lue, appelle-moi pour qu'on en discute.
À très bientôt, Valérie.
10 *Exemple de production possible :* La maison du futur sera une maison à votre écoute, qui respectera à la fois vos besoins et la nature. Grâce à des capteurs électriques qui seront installés un peu partout et aux appareils connectés, la maison anticipera tous vos faits et gestes. Par exemple, le chauffage s'adaptera à vos habitudes et se réglera tout seul dans toutes les pièces de la maison. Vous pourrez même le mettre en route ou l'arrêter avec votre téléphone portable. La lumière s'allumera et s'éteindra quand elle détectera une présence humaine, ce qui sécurisera les déplacements pendant la nuit. Des caméras permettront de surveiller les enfants à

distance. Les fenêtres s'ouvriront et se fermeront à votre demande et transmettront des informations sur le temps. Quand vous aurez visité une maison intelligente, vous serez charmé...
11 *Réponse libre.*

Leçon 28 ■ Objets connectés

1 a : pendentif connecté / Amulyte et Framboise / – alerte lorsqu'un incident intervient – b : canne connectée / New generation cane / la firme japonaise Futjitsu / – l'écran intégré permet d'afficher les directions à suivre et indique l'endroit le plus proche où se reposer ; – peut transmettre la localisation aux proches – c : pilulier connecté / IMedipac, MedSecure / – les petits compartiments s'allument lorsqu'il est temps de prendre son médicament ; – en cas d'oubli le pilulier envoie une alerte à ses proches ou son médecin – d : fauteuil roulant connecté / les instituts allemands / – peut appeler, envoyer des e-mails ou des SMS mais aussi consulter le niveau de batterie ou chercher des lieux bénéficiant de rampes d'accès et autres installations pour handicapés
2 a 5 – b 4 – c 1 – d 2 – e 6 – f 3
3 a le localisateur GPS / b le thermostat / c la brosse à dents / d le pèse-personne / e le bracelet / f la montre – Les objets du quotidien réinventés : le pèse-personne ; la brosse à dents ; le thermostat / Les objets nouveaux : le bracelet ; la montre / Les objets improbables : le localisateur GPS
4 a y / en – b y – c en / y – d y / y / en – e y / en – f en
5 a 4 – b 2 – c 1 – d 3 – e 6 – f 5
6 a C'est une application grâce à laquelle un clavier virtuel tactile apparaît sur les montres connectées. – b C'est un bracelet avec lequel vous pourrez suivre vos performances sportives. – c Voici des lunettes high-tech à l'aide desquelles vous pouvez prendre des photos et envoyer des SMS. – d Dans l'avenir, vous ne quitterez plus votre téléphone sans lequel vous ne pourrez plus rien faire. – e Ce sont des serrures connectées destinées au grand public dans lesquelles vous ne risquez pas de coincer votre clé.
7 *Exemple de production possible :* Moi, je suis plutôt contre. Bien sûr, certains objets connectés peuvent nous faciliter la vie, mais je crois qu'on voit se développer beaucoup de choses qui ne sont pas très utiles. Je ne veux pas dépendre totalement de la technologie. Je ne crois pas que tout cela nous rende plus heureux. En tout cas, une chose est sûre : tout cela consomme beaucoup d'énergie. J'ai peur du monde vers lequel nous nous dirigeons.
8 *Exemple de production possible :* Laissez votre chat en liberté ! Commandez ce collier sur lequel est intégré un capteur GPS qui vous permettra de localiser partout votre chat. C'est un collier grâce auquel vous n'aurez plus jamais peur de perdre votre chat.
9 *Réponse libre.*

Leçon 29 ■ Flagship Fnac

1 a Une chronique high-tech dans un style humoristique. – b Une personne qui utilise les nouvelles technologies et qui est persuadée d'utiliser les dernières nouveautés mais qui, en réalité, est dépassée. – c Une tablette tactile, des enceintes Bluetooth, un ordinateur. – d Des personnes qui utilisent des technologies plus avancées que la journaliste appelle « les connectés, les numériques, les HD et les 3D ». – e Un drone. – f 1 Un manteau avec GPS intégré. / 2 Un robot aspirateur. / 3 Un casque Beats et une caméra GoPro fixée sur la tête.
2 a À lire des livres. – b Il est étanche. / Il résiste à l'eau. – c À la plage, au bord de la piscine ou dans le bain. – d Rien : il continuera de fonctionner comme s'il était neuf. – e Un écran tactile antireflets innovant de 6,8 pouces qui offre le même confort de lecture qu'un livre papier, même à la lumière du soleil ; un éclairage entièrement réglable qui permet de diffuser la lumière sur la page et non vers les yeux, ce qui évite la fatigue oculaire de jour comme de nuit.
3 dédié aux – accéder aux – innovants – en libre-service – prendre en main – démonstrateurs – coques de téléphones – tendances

4

S	Y	N	C	H	R	O	N	I	S	E	H
A	V	Y	A	U	F	G	O	F	Y	I	A
P	H	Q	P	T	L	B	T	N	N	N	L
A	U	U	T	S	A	T	I	O	C	N	L
R	T	A	E	N	G	A	F	P	D	O	U
A	Z	M	U	T	S	P	I	A	U	V	D
M	O	J	R	O	H	T	C	R	J	A	I
E	M	O	G	I	I	E	A	A	Z	T	Q
T	D	V	A	R	P	L	T	G	A	I	U
R	I	L	D	N	L	U	I	V	V	O	E
E	H	K	X	U	I	F	O	R	C	N	F
R	F	R	O	Q	W	I	N	E	I	R	E

5 a l'ensoleillement – b un pot – c la température – d l'humidité
6 a / e (l'esthétique) ; b / h (la taille) ; d / g / i / j (un chiffre, l'âge) : se place avant le nom. c (la nationalité), f (la couleur) : se place après le nom.
7 a Cette télévision a un grand écran. – b C'est un concept innovant. – c Il y a un petit magasin à côté de chez moi. – d Il a une belle coque de téléphone. – e C'est un vieux téléphone. – f Cette jolie montre a un GPS. – g Tu me montres ta nouvelle tablette. – h Je cherche une tablette avec un écran tactile et étanche.
8 a 1 C'est une ville construite il y a longtemps. Elle contient de vieux monuments. / 2 Dans le passé, c'était une ville, mais ce n'est plus une ville aujourd'hui. – b 1 C'est un homme de grande taille. / 2 C'est un homme qui fait des choses importantes.
9 a Il la lui achète. – b Donne-le-lui. – c Je leur en donne. – d Nous les y avons vus. – e Plantez-les-y. – f Vous l'y trouverez. – g Elle le lui a écrit. – h Offrez-la-lui.
10 *Exemple de production possible :*
Entièrement pensé pour une expérience client unique et pratique, ce supermarché connecté propose l'offre la plus large du marché pour l'alimentation et les produits domestiques.
Les clients accèderont aux produits via un caddie intelligent qu'il suffit de paramétrer avec la liste de courses et qui va chercher lui-même les produits dans les rayons.
Une fois les courses finies, plus besoin de passer à la caisse : le caddie est muni d'un système de paiement par carte bancaire.
Le caddie vous accompagnera jusqu'à votre véhicule et rangera lui-même vos courses dans le coffre. Au moment de vous quitter, il vous dira même « au revoir ».
Et pour ceux qui ne veulent pas se déplacer, une applica-

Corrigés

tion permettra de commander vos courses et de vous les faire livrer dans l'heure.
11 *Exemple de production possible :*
VENDEUR : Bonjour, je peux vous aider ?
CLIENTE : Je voudrais offrir une liseuse à un ami, pourriez-vous me conseiller ?
VENDEUR : Combien de livres voudriez-vous qu'elle contienne ?
CLIENTE : Le maximum possible. Et surtout, je voudrais qu'il puisse l'emmener partout, même dans son bain ou à la plage, sans aucun risque.
VENDEUR : Alors je vous conseille la liseuse AKO Aurora H2O : elle est étanche.
CLIENTE : Ah bon ? Et que se passe-t-il s'il la fait tomber dans l'eau ?
VENDEUR : Rien du tout : il l'en ressortira comme neuve !
CLIENTE : Incroyable ! Je n'ai encore jamais utilisé de liseuse, alors je me demande si on ne finit pas par ressentir une fatigue oculaire.
VENDEUR : Il n'en ressentira aucune : avec son éclairage entièrement réglable, la lumière est diffusée sur la page et non vers les yeux.
CLIENTE : Et s'il l'emmène à la plage, il pourra lire malgré la lumière du soleil ?
VENDEUR : Cette liseuse est dotée d'un écran tactile antireflets innovant qui offre le même confort de lecture qu'un livre papier, même à la lumière du soleil. Vous pourrez le lui expliquer.
CLIENTE : Et elle coûte combien ?
VENDEUR : 179 euros.
CLIENTE : Je voudrais la lui offrir demain, vous l'avez en stock ?
VENDEUR : Bien sûr.
12 *Réponse libre.*

Bilan Dossiers 5 et 6

1 a 2 – b 1 – c Elle consulte son téléphone pour connaître la distance qu'elle a parcourue. – d 1 / 3 / 5 – e Elle pense que ce sont des gadgets. – f 3
2 *Exemple de production possible :* C'est en 1837 que naît la télégraphie électrique et c'est une trentaine d'années plus tard que le Britannique Alexander Graham Bell invente le téléphone. Mais il fallut attendre un siècle pour que trois ingénieurs américains mettent au point les fibres optiques. En 1982, en France, fut lancé le Minitel qui connut un très grand succès auprès de la population. Deux ans plus tard, la première cabine téléphonique fonctionnant avec une carte à puce fut installée : les Français pouvaient alors téléphoner sans devoir mettre de pièces dans un téléphone. En 1986, le premier téléphone de voiture est apparu, mais le premier téléphone mobile est commercialisé auprès du grand public seulement dix ans plus tard, en 1997. Pendant ce temps, en 1992, le premier SMS est envoyé par un ingénieur anglais et, en 1996, Internet est lancé pour le grand public. Microsoft et Orange collaborent pour mettre au point le premier smartphone qui est présenté à Londres en 2002. L'année suivante, on assistera au lancement du Wi-Fi, l'Internet sans fil. En 2005, le Français Rafi Haladjian mettra au point le premier objet connecté, un petit lapin nommé Nabaztag. Ces objets connaîtront alors un formidable essor. En 2014, on parle même d'une véritable explosion des objets connectés et on estime qu'on en comptera 80 milliards dans cinq ans...
3 a 9 – b 6 – c 2 – d 8 – e 1 – f 4 – g 5 – h 7 – i 3

4 a 1 : n° 5 / 2 : n° 4 / 3 : n° 2 / 4 : n° 1 / 5 : n° 3 – b 1 Parce qu'il y a beaucoup de données physiologiques humaines à mesurer. / 2 Sur son téléphone portable. / 3 Il analyse les données enregistrées. / 4 Le sommeil, l'exposition au soleil. / 5 La brosse à dents et la fourchette connectées.
5 *Exemple de production possible :*
ÉMILIE : Bonjour.
VENDEUR : Bonjour.
ÉMILIE : Je voudrais quelques informations sur un bracelet connecté. Le Fitbit Flex, par exemple, vous me le conseilleriez ?
VENDEUR : Oui, sans problème, vous pourrez vous en servir tous les jours. Il est assez fin, il existe en plusieurs coloris et il est très facile à utiliser.
ÉMILIE : Vous pourriez m'expliquer comment m'en servir ?
VENDEUR : Eh bien, vous avez un capteur à insérer dans le bracelet, et c'est tout. Ensuite, vous récupérez les données stockées sur votre ordinateur ou sur votre smartphone grâce à une application.
ÉMILIE : Mais comment je ferai pour enregistrer toutes les informations sur le bracelet ?
VENDEUR : Vous n'aurez pas à les y enregistrer, ce sera automatique.
ÉMILIE : Et quelles sont les données récupérables ? Vous pourriez me les préciser ?
VENDEUR : Eh bien, vous pourrez mesurer votre nombre de pas, la distance parcourue ou les calories brûlées, par exemple. Vous pourrez aussi connaître votre positionnement par rapport à l'objectif que vous vous serez fixé. Et si vous le gardez la nuit, il analysera votre sommeil... Et grâce à son alarme silencieuse, vous vous réveillerez à l'heure que vous aurez programmée sans déranger personne.
ÉMILIE : D'accord, et combien coûte le bracelet ?
VENDEUR : 99,90 euros.
ÉMILIE : Ah quand même !
VENDEUR : Il y a deux bracelets dans la boîte, de tailles différentes, comme ça, si votre ami veut se servir d'un bracelet, vous pourrez lui en prêter un sans problème.
ÉMILIE : Bon, je vais vous le prendre...

DOSSIER 7 Croyances

Leçon 31 ■ Superstitions

1 religion : l'islamisme, le catholicisme, le bouddhisme, le judaïsme – personne : un pratiquant, un juif, un croyant, un chrétien, un musulman – lieu de culte : une église, une cathédrale, une synagogue, un temple, une mosquée
2 Porte-bonheur : a un trèfle à quatre feuilles / d un fer à cheval – Porte-malheur : b le chiffre 13 / c un lapin, le mot « lapin » prononcé sur un bateau / e un pain à l'envers
3 *Réponse libre.*
4 a un chat – b un parapluie – c un lapin – d un fer à cheval
5 a renversé – b à l'envers – c inclure – d évoluer
6 une révélation – pratiquante – religions – les coutumes – découvrir – explorais – pratiquer

7

	a	b	c	d	e	f
[j] comme dans *feuille*	3	3	1	2	2	2
[ʒ] comme dans *jeu*	2	2	2	2	1	1

8 *Voir transcription p. 141.*

Corrigés

Leçon 32 ■ Croyances populaires

1 a Parce que c'est vendredi treize. – b Près de 135 millions d'euros. – c Parce qu'ils ont gagné deux fois au loto (23 millions d'euros et avant 100 000 francs). – d De jouer vendredi chacune 5 euros. – e Parce qu'elle a un jour refusé de passer sous une échelle.

2 a Faux : ils étudient les raisons pour lesquelles toucher du bois peut fonctionner. – b Faux : c'est efficace pour se rassurer. – c Faux : elle dit : « si ça ne fait pas de bien, au moins cela ne peut pas faire de mal ». – d Vrai : car c'est le fait d'effectuer un mouvement de rejet qui est important. – e Vrai : « continuez de toucher du bois, si ça ne fait pas de bien, au moins cela ne peut pas faire de mal. »

3 a trinque – b éloigner – c jeter – d maladresse / renversé – e ramasse – f tue – g cligne de l'œil

4 a Toutes les trois s'appellent des clés (une clé de voiture, une clé à molette, une clé de sol). / Photo 1. – b Tous les trois s'appellent des gants (des gants de boxe, des gants de cuisine, des gants pour tenir chaud). / Photo 3.

5 Seulement pour des personnes : quelqu'un – personne. Seulement pour des objets : quelque chose – rien. Pour des personnes et/ou des objets : chacun / chacune – d'autre(s) – certain(s) / certaine(s) – chaque – aucun(s) / aucune(s) – quelques.

6 a quelque part – b ailleurs – c partout – d n'importe où

7 *Exemple de production possible :*
Bonjour, je suis étudiante en mathématiques. Je suis donc plutôt rationnelle et je ne crois pas être superstitieuse, mais c'est vrai que quand je passe un examen, j'ai toujours avec moi dans mon sac un tout petit ours en peluche que m'avaient donné mes parents quand j'étais petite. Ça me rassure. Une fois, je l'ai oublié. Je ne sais pas si c'est pour cette raison, mais j'ai raté mon examen.

8 Porte-bonheur : c Toucher le pompon rouge du béret d'un marin. / d Casser du verre blanc. / e Marcher du pied gauche sur une crotte de chien. / g Voir une coccinelle s'envoler. – Porte-malheur : b Casser un miroir (apporte sept ans de malheur). / f Ouvrir un parapluie dans une maison. / h Poser son chapeau sur un lit.

9 *Réponses libres.*

Leçon 33 ■ Nouvelles croyances

1 a Une église pour vénérer la mémoire de Michael Jackson. – b Une association cultuelle / se déclarer comme telle en préfecture. – c Le culte uniquement. – d Permettre aux fans d'avoir des endroits pour célébrer un culte, une chapelle pour Michael Jackson, être au plus près de lui car c'est une idole et beaucoup de fans le vénèrent comme un dieu. Lui rendre hommage mais aussi avoir accès à son tombeau.

2 Pour : c / e / f – Contre : a / b / d

3 a 4 / 8 – b 1 / 9 – c 2 / 5 – d 3 / 7 – e 6 / 11 – f 10 / 12

4 a une croix – b une médaille – c un chapelet

5 a la certitude – b le manque – c l'honneur – d l'illusion – e le doute – f l'idéalisation – g la confiance

6 a Nous allons <u>souvent</u> à l'église. / Adverbe de temps – b C'est un article <u>vachement</u> intéressant. / Adverbe de manière – c On trouve des superstitions <u>partout</u> dans le monde. / Adverbe de lieu – d <u>Autrefois</u> j'avais la foi, mais je ne l'ai plus. / Adverbe de temps – e C'est <u>incontestablement</u> une église et non une secte. / Adverbe de manière – f Il sera <u>toujours</u> dans nos cœurs. / Adverbe de temps – g Elle regarde <u>dehors</u> pour le voir partir. / Adverbe de lieu –
h J'ai <u>vraiment</u> envie d'y croire. / Adverbe de manière

7 a Elle a toujours été très croyante. – b Toutes ces superstitions sont absolument ridicules ! – c Aujourd'hui, on ne peut plus vivre sans téléphone portable. – d Il a vraiment voulu sauver le monde. – e C'est un objet absolument génial ! – f Grâce à lui, je peux aller partout. / Je peux aller partout grâce à lui.

8 a absolument – b extrêmement – c faussement – d évidemment – e franchement – f puissamment – g joliment – h savamment – i vivement – j intelligemment – k carrément – l doucement

9 *Exemple de production possible :*
Bonjour, je viens de lire l'article « Michael Jackson va-t-il devenir une nouvelle religion ? » dans lequel il est question qu'une association de fans de la star crée une église pour vénérer la mémoire du chanteur. Je suis, tout d'abord, vraiment étonné que ce soit aussi simple de créer une église ! Il suffit donc de se déclarer association cultuelle à la préfecture pour créer une nouvelle religion et inventer un nouveau dieu ? Lorsque la présidente de l'association, Myriam Walter, dit que certains fans vénèrent Michael Jackson « comme un dieu », je pense qu'il faudrait que cette phrase reste une image. Mickael Jackson était un artiste talentueux, mais absolument pas un dieu ! C'était une idole, certes, mais il n'était pas divin. Je comprends que les fans aient besoin de se réunir pour parler de lui, écouter sa musique, regarder ses clips, ses interviews, mais il me semble incontestablement délirant de vouloir communier avec lui dans une église. Par contre, je respecte totalement que les fans désirent aller se recueillir sur sa tombe et apparemment seule une association cultuelle en a le droit. Cette raison me paraît valable, mais créer une église pour prier le dieu Michael Jackson, non ! Cordialement.

10 *Réponse libre.*

Leçon 34 ■ Religions

1 a 2 – b Dans les pays occidentaux (Belgique, Canada, Angleterre). – c Les églises, les temples et les synagogues. – d Le nombre de fidèles est en baisse. / L'entretien des édifices religieux coûte cher. – e Elles rachètent les édifices religieux et les transforment en bibliothèque ou restaurant du cœur. – f Ils peuvent faire de gros profits en achetant pour une somme dérisoire ces édifices et en les transformant en établissement de luxe. – g Il s'amplifie.

2 a un clocher / b une mosquée / c un temple / d une cathédrale / e une synagogue / f une chapelle / g une abbaye / h une église – 1 e / 2 g / 3 c / 4 a / 5 b / 6 f / 7 h / 8 d

3 1 protestant – 2 bouddhiste – 3 musulman – 4 juif – 5 catholique

4 a prières – b doute – c spiritualité – d scepticisme – e méditation

5 a un nettoyage – b une action – c une culture – d une construction – e une apparition – f une contradiction – g un sondage – h un commencement – i une certitude – j une croissance – k une diversité – l un ennui – m une douceur – n une bonté – o un extrémisme / une extrémité – p une curiosité

6 a Changement de nom et de fonction de l'église Saint-Benoît. – b Création d'un centre culturel dans le 2e arrondissement. – c Mariage de deux stars internationales dans le plus grand secret. – d Certitude du maire pour /

13

Corrigés

concernant le succès de son projet. – e Échec des négociations entre les deux pays.

7 Reproche : a / c / d / g – Regret : b / e / f / h

8 a Il aurait aimé / voulu devenir prêtre ; il aurait célébré la messe dans l'église de son village. – b Ils auraient dû voir le film ; ils auraient compris de quoi on parle. – c On aurait dû nous demander notre avis sur la construction de l'église ; nous aurions pu nous exprimer. – d J'aurais voulu / aimé fêter Noël en famille ; je ne serais pas resté seul. – e Tu aurais dû t'inscrire à l'excursion ; tu aurais visité le Mont-Saint-Michel et son abbaye.

9 *Exemples de productions possibles :*
JEAN-PIERRE : Réaménager une église inoccupée, c'est une bonne idée. Mais pourquoi la reconvertir en boîte de nuit ? Je pense qu'on aurait dû y installer un centre culturel. On aurait pu aussi demander l'avis des habitants. On se serait rendu compte qu'une boîte de nuit n'était pas une priorité.
SIMONE : C'est bien triste. J'allais à l'église Saint-Benoît tous les dimanches. C'est là que je me suis mariée. Alors, savoir qu'on y danse sur une musique endiablée ne me réjouit pas du tout. Ils auraient dû consulter les habitants. J'aurais préféré qu'ils aménagent une bibliothèque… ou une crèche, pourquoi pas…
TIMOTHÉE : Je trouve l'idée géniale ! Au début, je comprends que cela surprenne les gens, mais l'église coûtait cher et était vide la plupart du temps. On aurait pu la reconvertir en maison de retraite ou en maison associative… Cela aurait peut-être moins choqué les habitants… Mais moi je suis content qu'il y ait cet endroit pour les jeunes.

10 *Réponse libre.*

DOSSIER 8 Les Français

Leçon 36 ■ Intégrations

1 [grille de mots croisés]

a séjour – b contrat – c accueil – d démocratie – e intégration – f citoyen – g social – h civique – i laïque

2 *Intrus :* a une carte d'étudiant – b un citoyen – c le contrat d'accueil – d être expulsé

3 a différence – b droit – c divisible – d rejeter, expulser – e être opposé à – f séparation

4 suis de – a la prétention – 'intégrer – accueil – être accepté – favorables – me sens

5 laïcité – démocratie – religieux – nationale – déchire – croyances – publique – démocratie

6 a religieux, religieuse – b national, nationale – c laïc/laïque – d civique – e acquis(e) – f accepté(e) g intégré(e)

7 [e] : étranger / année / démocratie / célébrez / émigrer / défilé – église – république – révolution – [ɛ] : juillet – guerre / français / arbitraire / siècle / misère / dix-huitième / fête – [ə] : faisons / demande / devenir – [ø] : ceux / jeu – peureux – deux – feu – [œ] : ampleur / preuve / peuple / acteur / penseur

Leçon 37 ■ Représentations

1 Francisco : a le goût des Français pour la culture / b la mauvaise humeur des Français, leur stress / c ils font peu d'effort pour les touristes, ils manquent d'ouverture d'esprit – Patricia : a l'architecture de Paris / b le fait que les Français ne parlent pas de langues étrangères / c ils sont élégants et nonchalants – Alison : a les vins et les fromages / b la saleté des Français / c ils sont impolis, froids, mais parlent plutôt bien anglais

2 a C'est un humoriste français d'origine bordelaise. – b En jouant un spectacle intitulé « Comment devenir parisien en une heure ? ». – c Aux Français et aux étrangers. / En anglais. – d Transmettre aux étrangers le mode d'emploi de l'arrogance à la française. – e Les différences culturelles qui existent entre les différents pays et qu'il a observées lors d'un séjour aux États-Unis. – f Faux : « Grâce au bouche à oreille, son premier one-man show tient l'affiche depuis quatre ans ». – g Il pense qu'ils sont vrais et il s'en sert comme base de son spectacle.

3 a la francophonie – b un francophone – c un francophile – d la sonorité des mots – e romantique

4 expatrié – stéréotypes – imaginaire – aux quatre coins du monde – portrait – admiratifs – compliments – réputation – paresseux – représente

5 grève – congés payés – avantages sociaux – liberté de parole – supérieur – débattre – engagée – solidaires – modèle

6 a Bien que – b Malgré – c alors que – d Même si – e alors que

7 a Bien que la France soit un pays riche, 14 % de la population est pauvre. – b Même si les journées de travail des Français sont intenses, la pause déjeuner reste sacrée. – c Malgré leur réputation de ne pas se laver, les Français sont aussi connus pour leur élégance. – d On considère en général les Français comme des gens très arrogants, alors qu'ils savent se montrer très autocritiques.

8 a Les Français boivent beaucoup d'eau au lieu de boire des sodas. – b La langue française est considérée comme une des plus belles langues. Par contre / En revanche, c'est une langue difficile à apprendre. – c Les touristes étrangers adorent Paris. Par contre / En revanche, les Parisiens ne se montrent pas assez accueillants. – d Les Français préfèrent travailler moins et gagner plus au lieu de travailler plus et gagner plus. – e Les Français se parfument beaucoup. Par contre / En revanche, le métro parisien sent très mauvais.

9 *Exemples de réponses possibles :* a Même si les Françaises sont connues aux quatre coins du monde pour leur élégance, elles s'habillent généralement de façon simple, loin du cliché de la Parisienne chic et glamour. – b Bien que les Français puissent profiter de 35 jours de vacances par an, ils sont très efficaces dans leur travail. – c Alors que les Français mangent du pain et du fromage tous les jours et qu'ils boivent du vin pour accompagner les repas, ils restent quand même assez minces…

10 *Réponses libres.*

Leçon 38 ■ Étrangers en France

1 a Parce que, malgré des difficultés, les étudiants étran-

gers sont en grande majorité satisfaits. – b Cela signifie qu'elle est prête à faire des sacrifices. – c 16 000 / Ce nombre est en augmentation. – d 3 – e Aspects positifs : les bourses, les aides, l'assurance maladie, beaucoup de petits boulots. / Aspects négatifs : le coût de la vie dans les grandes villes, particulièrement le logement, le manque de sourires. – f On aurait du mal à recruter des scientifiques en France.
2 Palmarès – image – étude – attractivité – rang
3 a qualité / b développement / c beauté / d valeur / e intérêt / f réputation / g apprentissage / h connaissance – *Exemples de phrases possibles :* 1 Cette université est connue pour la qualité de son enseignement. / 2 Le tourisme contribue au développement économique des régions. / 3 Je suis fasciné par la beauté des paysages.
4 a Ce qui me plaît beaucoup, c'est vivre au soleil dans le Sud de la France. / Vivre au soleil dans le Sud de la France, c'est ce qui me plaît beaucoup. – b Ce à quoi je m'intéresse plus particulièrement, c'est la mode. / La mode, c'est ce à quoi je m'intéresse plus particulièrement. – c Ce que je souhaite, c'est parler français sans accent. / Parler français sans accent, c'est ce que je souhaite. – d Ce dont ils ont envie, c'est s'installer ici quand ils auront fini leurs études. / S'installer ici quand ils auront fini leurs études, c'est ce dont ils ont envie. – e Ce qu'il adore, c'est vivre à l'étranger et découvrir d'autres cultures. / Vivre à l'étranger et découvrir d'autres cultures, c'est ce qu'il adore. – f Ce dont elle a eu peur, c'est se sentir isolée dans une grande ville. / Se sentir isolée dans une grande ville, c'est ce dont elle a eu peur.
5 a Ce que j'adorerais, c'est avoir des amis français. / Avoir des amis français, c'est ce que j'adorerais. – b Ce dont je dois me débarrasser, c'est ma timidité. / Ma timidité, c'est ce dont je dois me débarrasser. – c Ce que je n'aime pas, c'est être isolée. / Être isolée, c'est ce que je n'aime pas. – d Ce qui me fait peur, c'est me retrouver seule sans mes parents. / Me retrouver seule sans mes parents, c'est ce qui me fait peur.
6 *Exemples de réponses possibles :* a Ce qui m'intéresse, c'est la littérature française. – b Ce que je veux faire plus tard, c'est devenir interprète. – c Ce dont j'ai besoin, c'est pratiquer l'oral. – d Ce à quoi je pense maintenant, c'est trouver un logement.
7 *Exemple de production possible :*
Coucou Sandra,
Je pense que tu ne dois pas hésiter. C'est vraiment une expérience très enrichissante. Avant de partir, ce qui me faisait peur, c'était de quitter mes amis... Mais avec Skype, on n'a pas l'impression d'être trop loin des gens qu'on aime. C'est vrai que ça a été un peu dur au début parce que je n'arrivais pas à comprendre les Français dans la rue et que je ne connaissais personne, mais j'ai fait du bénévolat dans une association et c'est ce qui m'a permis d'avoir mes premiers amis français. Pour ce qui est de la langue, ce dont tu auras besoin, c'est un bon dictionnaire. Ce que je préfère ici, c'est la gastronomie. C'est vraiment un très beau pays. Si tu veux venir étudier ici, ce à quoi tu dois penser, c'est à emporter une copie de tous tes diplômes. J'attends de tes nouvelles. Bises.
8 *Exemple de production possible :* a Parce que j'ai appris le français à l'école pendant plusieurs années et puis je trouve que cette langue est la plus mélodique de toutes. – b Franchement, la bureaucratie, avec tous les papiers à avoir pour partir à l'étranger. – c Pas vraiment. Grâce au couchsurfing et Facebook, j'ai eu rapidement des contacts avec des Français. Je me suis aussi inscrit(e) à plusieurs activités sportives. – d La gastronomie, la mode... – e Essayer d'apprendre la langue aussi vite que possible. / Chercher le contact avec les Français et montrer que l'on veut s'intégrer. / Faire tout ce qu'on peut pour participer à la vie française. / Être ouvert(e) et accessible. – f Attendre que les Français viennent nous parler. / Rester parmi d'autres étrangers qui ne parlent que l'anglais. / Rester connecté(e) à son pays d'origine.
9 *Réponse libre.*

Leçon 39 ■ Le français

1 a Alain Rey, linguiste, lexicographe et figure emblématique de la rédaction des dictionnaires Le Robert. – b Près de neuf personnes sur dix se disent choquées quand elles repèrent une erreur dans un courrier administratif ou professionnel, pourtant les Français maîtrisent de moins en moins bien leur langue. – c Question 1 : Comment expliquer cet amour des Français pour l'orthographe ? / Question 2 : Comment expliquer ce sentiment de honte à l'idée de faire une faute ? / Question 3 : Est-ce que cela a toujours été comme ça ? / Question 4 : Les fautes sont-elles toutes de même valeur ? – d Parce que la prononciation et l'écriture se sont séparées au cours de l'histoire. Beaucoup de lettres ne sont pas prononcées. – e Parce qu'ils pensent que cela ternit leur image. Avoir une bonne orthographe fait partie des comportements sociaux. L'orthographe est un marqueur social, elle donne une image de soi. Cela montre qu'on respecte les règles, qu'on connaît sa langue. – f Faux : « l'écriture pouvait être plus régionale ou personnelle ». – g Les fautes graves sont celles qui montrent un défaut dans la syntaxe, et donc dans la compréhension, par exemple mélanger infinitif et participe passé.
2 1 franglais – 2 linguiste – 3 emprunter – 4 anglicisme
3 a contribué à – sont issus du
4

Discours direct	Discours indirect
Présent	Imparfait
Passé composé	Plus-que-parfait
Imparfait	Imparfait
Futur	Conditionnel présent

5 Le journaliste a demandé de quand dataient les premiers échanges entre la langue anglaise et la langue française. – Henriette Walter a répondu que les premiers échanges dataient du XIe siècle, quand Guillaume le Conquérant était devenu roi d'Angleterre. Elle a ajouté qu'il avait chassé la noblesse anglaise de la Cour, qu'il l'avait remplacée par des nobles français et que c'était à partir de cette date que la langue anglaise avait commencé à puiser dans le lexique français. Elle a précisé que la langue française emprunterait à la langue anglaise seulement à partir de la fin du XVIIIe siècle. – Le journaliste a demandé s'il y avait donc plus de mots d'origine française que l'inverse. – Henriette Walter a répondu que c'était incomparable, que les deux tiers du vocabulaire anglais étaient d'origine française, alors que seulement 4 % du lexique français était emprunté à l'anglais. – Le journaliste a demandé où en étaient ces échanges aujourd'hui. – Henriette Walter a répondu que la langue française puisait dans le lexique anglais sur-

Corrigés

tout pour ce qui concernait les nouvelles technologies. Elle a précisé que les Anglais, eux, continuaient à nous emprunter des mots qui faisaient chic et qu'un Anglais qui voulait paraître cultivé ponctuerait sa conversation de « déjà-vu » ou « joie de vivre ».

6 *Voir transcription p. 143.*
7 *Exemple de production possible :*
Salut Vittorio !
Je viens de lire l'interview d'un linguiste français, Alain Rey, dans laquelle il parle de l'orthographe. Je suis sûre qu'elle peut t'intéresser. Savais-tu que 90 % des Français étaient choqués quand ils repéraient une faute dans un courrier administratif ou professionnel, alors qu'ils maîtrisent de moins en moins bien leur langue ? Alain a dit que certaines langues étaient plus faciles dans la mesure où lorsqu'on savait les prononcer, on savait les écrire, mais que pour le français, c'était plus difficile car prononciation et écriture s'étaient séparées au cours de l'histoire. Il a ajouté que l'orthographe était un marqueur social, qu'elle donnait une image de soi et que cela montrait qu'on respectait les règles, qu'on connaissait sa langue. Il a aussi dit qu'il fallait distinguer les fautes graves et les fautes de mémoire, que ne pas savoir si tel mot prenait une double consonne est moins grave que mélanger infinitif et participe passé. Il a précisé que les fautes graves étaient celles qui montraient un défaut dans la syntaxe, et donc dans la compréhension. Bref, c'était une interview passionnante et je vais la chercher sur Internet pour te l'envoyer. Bises. Stéphanie

8 - **9** - **10** *Réponses libres.*

Bilan Dossiers 7 et 8

1 a Pour suivre des études de journalisme. – b Un dimanche matin, à un brunch. – c Parce qu'il travaille le dimanche matin. – d Il est surpris parce qu'il pensait que les Français ne travaillaient pas le dimanche. – e L'ouverture des magasins le dimanche. / Le travail dominical. – f Il aime leur engagement et leur goût pour les débats, mais il leur reproche de faire des grèves et de râler. – g Au Brésil. – h À la superstition selon laquelle croiser des verres en trinquant porte malheur.

2 *Exemple de production possible :* La liberté et le respect sont aussi des valeurs importantes pour plus du quart de la population, alors que seulement quelques personnes évoquent la patrie et la foi en Dieu. On note une différence entre les hommes et les femmes : bien qu'ils aient en valeurs communes la solidarité et l'écologie, ils ne leur accordent pas la même place. Ainsi, pour les femmes, la solidarité arrive en première place, suivie par l'écologie puis l'éducation. Par contre, pour les hommes, c'est la liberté qui compte le plus, suivie de la solidarité puis de l'écologie. Si on considère les différentes classes d'âge, on retrouve partout la solidarité en première position. Par contre, si pour les personnes de moins de 55 ans l'écologie est une valeur importante, pour les plus âgées, c'est la liberté. Enfin, à partir de 35 ans, l'éducation prime sur le respect.

3 *Réponse libre.*

4 a 1 Le français est difficile. / 2 Le français est moins « cool » que l'anglais. / 3 Le français ne se prête pas à la musique. – b 1 : Le français est difficile. / Il y a des exceptions grammaticales, la syntaxe est complexe, l'orthographe compliquée... / Mais cette rigueur permet de bien écrire et si on suit les règles, il n'y a pas de problèmes. / 2 : Le français est moins « cool » que l'anglais. / L'anglais est la langue de la culture pop branchée. / Mais l'anglais a emprunté beaucoup de mots au français et le français s'est imposé dans d'autres domaines culturels. / 3 : Le français ne se prête pas à la musique. / Les grands tubes internationaux sont souvent en anglais. / Mais le slam et les chansons à texte montrent que le français a un rythme musical.

DELF B1

Compréhension de l'oral

Exercice 1
1 c – 2 a – 3 c – 4 En banlieue (dans un quartier très calme). – 5 Les quatre enfants ne s'entendaient pas bien. – 6 c

Exercice 2
1 a – 2 b – 3 Le temps. – 4 b – 5 Il peut y avoir de la concurrence. – 6 b – 7 a « Être conscient des conflits possibles au sein de la nouvelle famille et les anticiper. » / b « Oser parler d'argent, des relations avec l'ex-conjoint, de l'autorité ou pas à exercer avec les enfants de l'autre... »

Compréhension des écrits

Exercice 1
1

	1. Pays cathare		2. Le Touquet	
	OUI	NON	OUI	NON
Période	✔		✔	
Type de logement		✔		✔
Lieu du séjour		✔	✔	
Visite inclue	✔			✔
Budget	✔			✔

	3. Saint-Omer		4. Côte d'Opale	
	OUI	NON	OUI	NON
Période	✔		✔	
Type de logement	✔		✔	
Lieu du séjour		✔	✔	
Visite inclue	✔		✔	
Budget	✔		✔	

2 Le séjour 4 : Côte d'Opale.

Exercice 2
1 On mémorise beaucoup pendant la nuit, donc étudier tard le soir n'est pas un problème. – 2 a Faux : « passer une nuit blanche à réviser ne sert à rien ». / b Faux : « la règle reste de ne pas trop changer ses habitudes ». – 3 a – 4 c – 5 « La caféine est un bon stimulant, mais on a l'habitude d'en prendre deux par jour, il ne faut pas en boire dix pendant les épreuves. » – 6 a – 7 Faux : « il est inutile de faire une grosse séance à la veille des examens ». – 8 Parce que le cerveau a besoin de beaucoup d'oxygène lorsqu'on stresse. – 9 Faux : « évitez au maximum de regarder ce qu'il se passe autour de vous ».